MOBILIÁRIO PARA UMA FUGA EM MARÇO

Porto Alegre · São Paulo · 2021

MOBILIÁRIO PARA UMA FUGA EM MARÇO

MARANA BORGES

Copyright © 2021 Marana Borges

CONSELHO EDITORIAL Gustavo Faraon e Rodrigo Rosp
PREPARAÇÃO Julia Dantas
REVISÃO Raquel Belisario e Rodrigo Rosp
CAPA E PROJETO GRÁFICO Luísa Zardo
FOTO DA AUTORA Anahí Borges

DADOS INTERNACIONAIS DE
CATALOGAÇÃO NA PUBLICAÇÃO (CIP)

B732m Borges, Marana.
 Mobiliário para uma fuga em março / Marana Borges.
 — Porto Alegre: Dublinense, 2021.
 400 p. ; 21 cm.

ISBN: 978-65-5553-032-2

1. Literatura Brasileira. 2. Romances
Brasileiros. I. Título.

CDD 869.937

Catalogação na fonte:
Ginamara de Oliveira Lima (CRB 10/1204)

Todos os direitos desta edição
reservados à Editora Dublinense Ltda.

EDITORIAL
Av. Augusto Meyer, 163 sala 605
Auxiliadora • Porto Alegre • RS
contato@dublinense.com.br

COMERCIAL
(51) 3024-0787
comercial@dublinense.com.br

Volto,
relendo no
chão
os passos desta casa.

I.

Junto à escada de pedra que separa as duas estações da casa, eu paro. Não tenho força para subir os degraus. A fúria daqueles quartos. Atravesso a sala, rodeio o lustre com sua lâmpada fundida. Volto-me para a entrada: não há carro na garagem, então vou à cancela, a esse começo que, ao modo de parto, fundou o horizonte de minha infância, barbante cordel arame. Um passado em excesso, e talvez por isso me seja impossível abrir o portão e sair. Detenho-me. Lá fora, as casas dos vizinhos com suas feições siamesas. Presos os dedos no meio-fio de uma emboscada, eu canto. Com a fasquia que me resta de uma madeira velha, a cancela jamais aberta. Mas a voz não chega. Galo sem crista. Cedo amputaram-lhe o grito. Não se enreda em teia tênue, entre todos, fazendo coro. Nem alucina, marcial. Exemplar avulso, sua espécie. Bárbaro e vencido. Sem qualquer concessão ao início. A nota mais aguda, aquela capaz de romper a cancela e será tudo o dia, a estreia. Fico, no entanto. Detida junto a essa voz tão fraca, tão séria.

Como hei de chamá-la pelo nome correto, a casa? A cerca caiu há muito e no lugar impuseram-lhe um portão de alumínio que também ruiu. Pende para os lados, as duas caras não se encontram, é preciso asfixiá-las à força de correntes de ferro. Reside aí a ideia de fachada: um jardim construído para ser visto e ser de inverno, e que nunca o foi, e cuja visão perdeu-

-se quando colocaram o portão com sua geometria cinza que recorta a pupila em mil cláusulas. Dentro dessa casa velha, casa comprada à desgraça, depois de um assalto à mão armada levar o antigo proprietário à cadeira de rodas, casa vendida às pressas, tenho de fugir daqui, o antigo proprietário pensou, nessa casa com jardim de inverno comprada por nós com uma hipoteca de trinta anos — tempo menor do que a minha vida, mas que, tão fundo, a espoliou — moram todos os equívocos.

Aqui jamais se acendeu a lareira, e no entanto limpa-se a lareira todos os anos. Ao lado, a árvore de Natal postiça disputa lugar com caixas sobrepostas de um inventário incompleto. A cidade é aqui e lá fora. São Paulo, frio são cinzas: foram-se as meias de lã e os cachecóis ocre que enrolaram minha infância com cores temperadas. Hoje as pessoas mendigam ao cimento uma parcela de frio. É um gesto sem resposta: pessoas esticadas às paredes, sem poder abraçá-las, apenas para esfriar um pedaço das costas. As cores ganham diariamente sua vida nos vermelhos, laranjas e amarelos de mamões, goiabas, maracujás, acerolas. Duram pouco: o calor as dilacera. Terminarão no lixo, junto ao feijão que azedou fora da geladeira.

O armário alberga junto ao chão doze caixas de sapatos.

Há mais, muitas mais.

Estão por toda parte: insaciáveis. Confiscam a casa, fileiras e fileiras de caixas substituem-se à praga de formigas das casas vivas. Guardam a mais imperfeita vida doméstica: esmaltes secos, restos de cutículas e cheiro das colônias de alfazema. Poucas ainda abrigam sapatos. Os gestos de vaso as terão tornado em algo tão cruel quanto barro. Caixas transitam pelos quartos, caducas. O porte duro cedeu, há dobras fundas e olheiras nas esquinas do papelão. O mesmo se passou ao par de botas amassadas, seus bicos tortos empurraram os extremos do retângulo. Até rasgá-lo. Alguém trancou as botas na caixa errada: é pequena demais. A tampa tampouco está certa, quanto disparate, seu tamanho claramente excede o da caixa, passa-lhe ao menos três centímetros de cada lado do papelão. Nota-se também pela cor: tampa e caixa jamais formariam um par. Aquelas outras também incorretas, vê-se bem, estão todas trocadas. Copulam adúlteras no vão da escada e na despensa. Troco-as. Busco as tampas corretas: não as há. Volto a trocá-las. Confundo-me. É inútil. Algumas estão abertas, sepulturas expondo lustra-móveis, recibos. O último a sair desta casa perdeu o juízo. Ou deixou de se importar.

Nos fundos de casa havia um terreno baldio. Mandaram construir um muro. Minha mãe lamentou. Ninguém teve coragem de dizer a ela: para abafar os teus gritos.

Se eu quisesse me reconciliar com a noite, teria primeiro de pactar com o dia, e o dia era quando o rádio doido de minha mãe despregava da estante e abocanhava metade da xícara. Para sair de raspão, era preciso eu ir atrás do antedia, a manhã ainda se espreguiça é de onde vêm as peras e minha mãe ainda não pôs a toalha de mesa as xícaras nos pires. Aguardarei o leite, não bebo café, mas. Aos poucos. Beberei. Apesar de. Ser uma criança, apenas. Logo o rádio e a notícia de um carro a se chocar contra o muro na Bandeirantes. Antes, antes. Sou anteriormente. A fístula ainda sem cor e lá voam as primeiras asas, conforme. A descrição da meteorologia, esta: ainda é cedo. Um cabelo de criança porque cheio de nós. Cada braço em uma margem do corpo. Os palmos da mão sobre a borda do colchão de mola e os joelhos dobrados estão prestes a. Meu rosto não vai cair, empunho os braços contra o colchão e me levanto. É preciso pactar com o dia. Para ganhar força, dar volume à experiência profissional das mulheres que imitam homens e enviam às empresas currículos em papel A4 fonte Times New Roman 12 ou Arial margens 2,5. Seria preciso pactar com o dia quando viesse a ser uma dessas mulheres, mas antes. A pouco e pouco. É isso: iniciei-me pela véspera. Talvez aquilo a que se chama o hiato da primeira manhã: a noite já calou e a válvula do rádio ainda dorme. Mas há efeitos imprevistos: de manhã é quando meu irmão irá embora, anos mais tarde; o cão morto nesse horário, de onde as peras as xícaras os pires. A manhã era para ser um piso de porcelanato ou cerâmica ou granito para meus pés sobre tudo isso quando eu me levantasse. De onde a nascente do sol, sempre a leste. Por toda a parte, haveria de ter a solidez de uma usina. Deixa de tê-la. A manhã veio tarde, talvez porque era horário de verão e o calor que não perdoa. A partir de então, e somente. O leste será para onde a vida cede.

Não me retirem os terrenos baldios. São eles que merecem humanidade. Pertenço a esse vazio entre edifícios: impossível avançar, a avenida chegou aos dentes; de ambos os lados o muro, já nem andar para trás porque. Mais muro. Recinto peculiar onde musgos e trepadeiras, gatos vadios, minha vida longe de alamedas. Não há sol, porque. O muro. Sequer vento. Não pendurarei roupas para secar nem meias calcinhas toalhas de mesa de banho de rosto nem guardanapos de pano. Apenas me debruçarei sobre o abismo, terreno infecundo para imóveis, e mais nada.

Revisto as caixas. Há três delas, maiores, fazendo entre si ângulos retos
com tampas corretas.
Meus vestidos. Os vestidos que minha mãe costurou, antes de aos sábados haver a costureira do beco de terra. Se chuva, minha mãe não me leva. Chuva passou, ela espia à janela, me manda calçar botas e vamos. Vamos eu e ela.
No início, minha mãe empunha para si a tarefa de confeccionar nossas roupas de festa. Não havia festas, mas ela. Porque os vestidos saíam tortos, ou porque a máquina envelheceu antes da hora, essa overloque ziguezagueia à noite a linha inteira

decora e emperra, terá sido alguma empregada a meter-se onde não devia, pôs a mão na minha Singer, minha mãe lamenta e aos poucos cessa a costura, dedica-se apenas aos botões e às fechaduras dos pulsos, às barras das calças. A máquina falando alto no escuro.

Naquelas caixas, meus vestidos. Então ela os guardou.

Essas   linhas
          ao longo do pano
tecem hipóteses

sobre um estado de coisas
[que desapareceram]

de ambos os lados da

          costura

a linha
          poliéster
          de três cabos

escreve um único traço
ao redor da barra

onde a costura acaba
a linha é curta
          ou um erro de laçada

          ou o calor da agulha: rebenta a fibra

o ponto falha,

e a bainha cede

perde-se
num arco.

Minha mãe tem os olhos graves de quem quer ir embora. Em criança, eu pendo do seu vestido feito um cacho de fruta. Ela se maquia ao andar e cozinha doces no fogo alto. A frase sempre repetida "Já vai, já vai" encurta as conversas à maneira das facas com que manda podar a bananeira no verão.

Seus olhos me roubaram tudo: a fala, os quartos, as peles.

Em menina, seguro as pernas da minha mãe como as das mesas, e as das mesas não mentem.

Minha mãe me espeta com um alfinete. Dou um grito.
— Vai ficar com o vestido todo torto — ela diz.
Encolho-me. Minha mãe me tira as medidas. Não lhe basta com a fita métrica: tem de colocar o pano e pregá-lo com alfinetes. Leva o pano à máquina que emperra e, assim, sendo sempre culpa da máquina, esconde a pouca aptidão para a costura. Ela maldiz a Singer, a empregada que meteu o dedo onde não devia, as linhas, o tecido que é grosso demais. Agora ela precisa me tirar novas medidas. Reclamo. Dos alfinetes, das mãos grandes de minha mãe. Mais um pouco e outro grito.
— Você é cheia de nove horas.
Não entendo. Como assim?
Assim: — Exagera. Gosta de fingir.

Ela encontra uma costureira no Mandaqui, depois no bairro do Limão, depois no beco de terra,

em casa a overloque emperra.

Não fosse esse muro maldito. Em frente. São Paulo seria: bela, até. Não fosse isso. Em frente.

Não precisei colidir com a idade última para saber: serei ela: os lábios cavoucados pelo tabaco, gretas mínimas e fundas, o vermelho de batons nas bitucas e a boca de para sempre muda. Notei seu avanço ao longo dos séculos, das festas de aniversário ao redor de um bolo de plástico. Seu rosto imprime-se ao meu com a tipografia exata, sequer sombra ou borda.

13 de março de 1980, Califórnia, Estados Unidos: *Garota morre após enroscar cabelo no motor de kart durante competição*. A notícia ocupa revistas de consultório no Brasil. Desde esse dia, minha mãe me proíbe deixar o cabelo crescer: não deverá ultrapassar o ombro. Terá para sempre o tamanho de uma poça d'água, mesmo eu jamais tendo encostado em um kart. Dirá que assim o cabelo também ficaria melhor assentado, esse cabelo que onde já se viu nascer desse jeito se o dela era liso, se o do filho também era liso.

Estarei envelhecendo ou será apenas disparate dessas lojas que, nem passada uma década em serviço, pregam placa à porta, com o ano de sua fundação? A loja de meias sobrevive desde 1980, a farmácia desde os anos 50. Nenhuma delas gaba-se disso. Outras, mais jovens, ostentam na fachada: "desde 1995".

Pensam ser reis, sesmarias, caravelas. Como se fosse outro século. É-o, contudo.
Esta casa, sim, está velha.
Caixote pintado de verde. Da rua nota-se bem o seu cheiro. Os cachorros vêm mijar na porta, um e outro, e imagino que minha mãe tenha tentado expulsá-los com baldes d'água. Carregou-os com os braços bambos, já não havia empregadas. Se a casa tivesse me olhado, certeza que. Calma, não se pode assegurar. Mas é o que dizem: o reconhecimento vindo de outro nos reabilita, enxerta húmus às lacunas. Mas talvez seja ainda maior o desastre: talvez as lacunas sejam também tudo aquilo que nos compõe. Ao restituir o caminho dos tijolos, mesmo à revelia de datas e sem quaisquer fotografias, o que faço é adulterar-lhe a tinta. Um passado que não pertence mais apenas à casa e que nenhum futuro virá perdoar. Passado se espraia, há de meter-se pelas frestas do portão de alumínio e gritar. Já o faz: ouves?

Falo do trânsito dos antepassados, minha mãe que enlouqueceu antes de mim. O problema não é só esse: é que meus ancestrais recuam ao Pacífico. São todos. Répteis, moluscos, litosfera. Mas nada disso cabe aqui.

Eu fui uma menina de olhos escuros. Talvez porque tivesse o nome de um grito, tão breve e extinto, ou pela dificuldade da memória, a avó com tantos netos e eu mais uma, talvez porque simplesmente não tivesse nome, batem palmas, tocam à porta e não ouço, então me chamaram de menina, eu me chamei de menina.

Entro. Estou nesta casa.
A mesma: a porta em madeira da entrada, por baixo assomava vento no inverno; agora, a cidade tão quente que baratas.
A mesma: o chão em losangos da sala. Em criança, brinco de pisar apenas nos desenhos escuros do taco, deslizo de meias, tombo.
Mas tão outra: onde seus habitantes?

carretel
        vazio

carrega
a cor que passou.

A sala com tomadas solitárias, e de repente um alvoroço: três benjamins sobrepõem-se a uma delas, formando uma colmeia de rainhas elétricas. Mas por que a senhora não usa as outras tomadas da casa? As empregadas perguntavam.

O som desta casa: muro que se interpõe à fachada
e diante do oco
das laterais
quadrado cânhamo
deixado em branco, no dorso de um tijolo cortado há mais branco do outro lado o som é pouco é branco é ralo bate no muro e em pedra cala. Preciso, é preciso ir embora. O som desta casa: diante dos olhos.

Minha mãe chega com um pequeno embrulho: "É um brinquedo que não acaba nunca". Um cubo mágico. Entrega-o como se entregavam pizzas nos anos 90: chamando alto o dono da casa e saindo às pressas. Um modo fácil de eu postergar a atenção que lhe peço, à minha mãe. Somente depois de descobrir o segredo do cubo que nunca acaba, diz, é que eu fosse ter com ela. Não consigo. Tento chamá-la antes, ela diz:
— Já vai, já vai.
Não vem.

O segredo das coisas que nunca acabam é serem de plástico.

Dirão: uma casa é uma pessoa.
uma casa é uma multidão.
uma multidão de casas mora em casa.

São Paulo é uma faixa imensa rosa. Rosa flor e pitaia. São Paulo é uma faixa imensa e rosa anunciando, lá pelos lados da avenida Prestes Maia, uma nova construção.

Rápida demais. A algazarra das chaves no ar. É agora: minha mãe vai sair. Pode não voltar. Sempre os olhos de quem quer ir embora. Deixo o cubo mágico. Corro para alcançá-la. As flores de algodão na barra do vestido dela são muitas, muitas vozes: "Eu já volto". Confundem: "Vá calçar os sapatos". Tropeço nelas. Penso-as convite, penso que minha mãe deseja minha companhia. Então partiremos as duas? Miragem: "Vá botar os sapatos, não gosto de você andando de meia em casa". Vou agarrá-las, às flores na barra do vestido, falta pouco, falta um caule. Mas as flores são muitas, muitas mães e nenhuma me deixará ir com ela. Elas vão deitando pelo chão suas tragédias: pétalas e vento.

Fracasso.

Minha mãe, rápida partida. Eu sou seu encalço — extrema, faminta.

Infância, idade da fala em hiato, é manca, os buracos são a certeza de espaço e riso; os nomes não chegam, nem cabe aposto ou complementos e a chuva é sujeito que conjuga e molha; quando somente cor, sem culpa, antes de toda a calamidade; antes da idade em que a fala torpe de tanto é falha e tanto é devassa e mói e esgarça a gola de um verbo nunca completo; quer-se represa. Tudo encobre e sufoca.
Eu já pressentia o desastre. Era preciso fugir.
Como se vivesse em zona sísmica, a mão em estado nítido de arco para erguer a alça da bagagem se um abalo.

Sobre ir embora: são muitas as vezes em que nós vamos.
Compramos cebolas, pagamos contas na casa lotérica, acudimos às filas em supermercado, hipermercado, ultramercado.
De todas as vezes, a saída é vetada à partida. Desde o primeiro "Vou comprar ração para cachorro", como quem diz: "Vou logo ali".
Como quem ouve dizerem: "Volta logo".
Como quem acaba por responder: "Vou logo ali e já volto".
O que se faz é voltar, e não ir.
Se eu tivesse saído, a miopia perderia alguns graus. Teria visto esta mesma casa desde outro ângulo. De cima, por exemplo.
Subiria ao sétimo andar de algum prédio longínquo desde onde. Lá, o telhado. A antena onde enroscávamos a pipa, onde

algum gato vadio. Uma caixa d'água para mil litros de chuva. Vejo-a, ao fundo: a chaminé de uma lareira extinta. Se eu tivesse saído, teria me adaptado aos binóculos. — Está vendo lá no fundo, depois daquelas árvores? — Não. — Mais para a esquerda. — Só vejo um muro. — Não vê uma casa? — Só um muro. — Depois do muro, atrás do muro, dentro do muro: ali está ela, a casa. Para trás teriam ficado os almoços dos dias em que as empregadas faltavam. Preferia-se esquentar a comida da véspera. Preferia-se salada: não precisa ir ao forno, ao fogo, ao congelador. Alface, orégano, vinagre. Ou, então, preferia-se omelete. Ovo, óleo, sal. Preferia-se abrir toda a casa de uma vez, e não cada cortina a seu tempo. Eu acordava e o sol já ia inchando de amarelo partes do corpo de minha mãe, das paredes, da mobília da sala. Era um amarelo aleijado: chegava somente à metade. Ao encontrar a cor de casa, desistia. Esverdeava. Meu irmão desceria mais tarde, quando ovos mexidos e salada. Tudo sobre a mesa. Ele costumava titubear na escada para descobrir o cheiro vindo das panelas. Ao se aproximar de meu irmão para beijá-lo, ela minha mãe aprovava o cabelo macio tão diferente do meu, e no meio do afago maldizia a cera dos ouvidos do filho. Ele prometia limpá-la, dizia isso enquanto se deixava enlamear da baba dela que o beijava, o beijava e pedia que quando ele fosse limpar a cera tivesse cuidado para não se machucar com o cotonete. Era perigoso. Podia furar os tímpanos.

Mesmo que somente salada e ovos mexidos, mesmo que sobre a mesa garrafa d'água e copos de baixa estatura, minha mãe fazia questão: guardanapos de pano. Às vezes, em geral quando filé de frango, tínhamos de nos haver com as cebolas em rodelas que minha mãe, pela pressa, deixara queimar no fogão. Tanto mais difícil era comer porque a faca deveria ficar na mão esquerda, que é de onde parte o corte correto nas carnes. Sempre nos equivocávamos. "Escrever com a direita, cortar carne com a esquerda", minha mãe nos lembrava.

Se eu tivesse saído, teria sido possível lembrar: de manhã, o caminhão de gás coloria a rua de azul em sua passagem; as gavetas cheias de tampas sem canetas.
Não tendo saído, é como se o passado fosse apenas o desenrolar de mais uma dobra desse presente enovelado que estendo, feito um longo vestido, sobre o chão de taco. Contudo, sei que. Haverá dobras inauditas. Lá onde os quartos. Não me será dado conhecer tudo, e para fazê-lo terei de. Desobedecer, violar — as escadas, a arquitetura da casa. Se eu tivesse saído. Eu teria atravessado a garagem com os óculos na mão. Ao sair, bateria a porta atrás de mim como fazem caubóis e soldados. Já seria noite e a silhueta da casa ao longe ficaria sem a mandíbula. Irreconhecível. Creio ter ficado em casa, no entanto. Eu fiquei. Meus olhos e os óculos na ponta do nariz comendo os olhos. Eu a observo de perto, a casa, a curva do queixo sufocada pela papeira do pescoço de ave, de casa velha, a abundância dos cheiros nas paredes, a velhice veio marcá-la com todas as pintas nas mãos, e ainda arrancou-lhe parte das sobrancelhas.

Você, alguém diz, você precisa pisar o concreto.
É que a vida não dá pé: funda demais. Eu tento dizer.
Pés no chão, no piso, no azulejo. Barro batido, qualquer coisa.
Qualquer coisa.
Não dá.

Volto,
abusando das chaves.
Para encontrá-la: minha mãe. A casa.
Mas alguém falta.

O dia se desfaz, sobra essa última manobra do sol. Vê-se a faixa exata de seu alcance na parte oeste de um tapete. O tecido envelheceu mais depressa, deixando uma felicidade desigual nos outros recantos. Em pé, encostado à parede, um teclado sem pilhas agoniza. Cinco oitavas e a partitura aberta. De perto se percebe o cansaço: o papel pautado é torto dos lados, deve ter se curvado de frio. Ou porque quisesse escutar a própria extinção. Ao vê-la melhor, essa extinção, ao sê-la de perto, dou-me conta de outra: a extinção da casa: partitura vazia, bandeira estendida numa época sem hino.

Sobre a menina: as sobrancelhas são rios largos em época de cheias. Mais tarde, seus olhos terão se inundado de imensas noites, mas ainda não. Eu ainda desconheço minha linhagem; até aqui dou nomes e desse saber retiro o salvo-conduto.

A mãe diz para a empregada temperar o frango com sal. A empregada tem manias: páprica. A mãe diz: ficou feio, ficou da cor de páprica.

Menina se pergunta qual a cor da páprica.

Minha mãe nos pedia para tocar as notas graves primeiro. Eram mais imponentes. Queria que aprendêssemos música clássica, mas nada de Schoenberg, Boulez; sim: Mozart, Chopin, *Clair de lune*, sem dizer esses nomes; apenas: música para descansar os ouvidos: música de tomar passe no centro espírita: nem que seja a música do caminhão de gás: nem que seja.

Não vingou. O mais perto que chegamos da música clássica foi a introdução do Hino Nacional. Deu-se que minha mãe, na reunião de pais, disse que seus filhos não participariam da cerimônia de plantação de árvores planejada pela escola na quarta-feira à tarde, Dia do Meio Ambiente, por causa da aula particular de piano. Pediram que mudássemos o dia da aula.

— Não, não dá. A professora deles é ocupadíssima.

Com braços cruzados de desgosto, a diretora insiste. Excepcionalmente. Minha mãe não arreda pé, e ainda descreve: a professora particular, de origem francesa, dava aulas nos casarões do Morumbi, e fazia de seus alunos grandes executores de Händel.

Agora, com braços cruzados de inveja, pais, professores e diretora, sem nunca terem escutado Händel, mas entusiasmados pela origem francesa da professora de piano, perguntam se acaso ela concederia algum concerto na escola, ou mesmo se aceitaria integrar o corpo de voluntários do colégio. Claro, se a agenda lhe permitisse.

— Como já falei, ela é ocupadíssima.

Se a professora cruzava a cidade, isso só se explicava pelo talento incipiente que vira desde o início — desde a primeira aula — nos filhos de minha mãe, segundo minha mãe. A diretora, com os braços inquietos de quem aguarda no balcão a fornada de pães que demora a sair, titubeou os dedos sobre a mesa. Perguntou se um de seus filhos, de nós, poderia tocar a *Canção da América* na abertura dos jogos estudantis. O colégio não dispunha de piano, mas faria chegar um teclado.

— Meus filhos só tocam música clássica.

A diretora encurva-se à frente, em súplica. Se então algum de nós pudesse acompanhar a cerimônia no Sete de Setembro. Seria imperdível. A professora de origem francesa certamente não se importaria de ensinar o Hino Nacional a um de nós. Minha mãe então decide: "Sim, é claro". O filho. Será o filho quem tocará.

"De origem francesa" era um eufemismo para a fala arrastada de Fátima, a professora, com nome menos francês que um pão ordinário. Sem poder pronunciar certos fonemas, como os "erres" alveolares, por uma falha de dicção, ela trata as mais simples preposições — para, sobre, contra — com a crueza de ruas, ou rios, ou barrancos. Chama meu irmão de "o pequeno

Chopin": assim evita falar mal seu nome; assim deixa minha mãe sem entender a ironia e, por isso mesmo, esperançosa quanto ao talento do filho.

Mas uma pronúncia não bastaria para batizá-la de "professora de origem francesa". Exige sempre outro detalhe. Minha mãe, como o comerciante ao erguer contra a luz uma nota de cinquenta para verificar a marca d'água, logo reparou na boina azul de veludo da professora, com a aba levemente inclinada para um dos lados. Foi assim que a excentricidade perante os trinta e dois graus do fim de janeiro foi imediatamente tida em conta como a marca d'água de sua ascendência francesa.

O teclado é mistério. Igual ao cubo mágico. Cada botão, um destino: Cuba, Argentina, antiga Prússia, Estados Unidos. A salsa, o tango, a valsa e o rock dançam pela sala. Mas basta retirar o fio da tomada e se acabam.

Antes de haverem crescido os pelos, muito antes da idade em que despontam os seios e se apara a coragem, eu já planejava a fuga. Sairia devagar, rompendo a cancela. À primeira hora. Minha mala: um saco plástico com mudas de roupa e chicletes. Desde então minha vida passou a ser a antessala desse acontecimento.

Essas caixas todas
pelo caminho. Obstruindo a passagem.
Terei de tirá-las à força.
Caixas são placas.
São muitas, são todas. Na rua, a placa explica: Em obras. Desviar pela Ponte do Limão.
Não sei ler placas. Ninguém as lê.
Uma velhinha as lê, mas não as entende. As crianças não as leem, mas gostam das flechas. Os adultos dormem ao volante. Estorvo, as placas. Ainda assim, terei de trazê-las à casa, na hipótese de que.
As caixas não queiram sair. Sinalizarei com placas desde a porta de entrada:
a armadilha a cilada o motim
: em obras.
Darei um jeito nelas, nas caixas, terei de.
Já entrevejo outra placa: Aqui jaz uma centena de caixas.
Se pensam poder fazer o que lhes vem à cabeça, esfregarem-se umas às outras, empoleiradas
Trepadeiras, terei de
forrá-las com cimento, fechá-las na marra. Terei de vesti-las.
Enquanto sem placas, enquanto só caixas, desvio delas, quadradas, dispersas
      Eu levanto a perna para ultrapassá-las,
na ponta do pé compenso

o peso do corpo, o arco das costas alude no ar uma saída
: melhor será se eu cair.
Cair, e mais nada.

Você vive de miragem ou herança. Alguém diz. É verdade. Herdei cabelos crespos e essa biografia castanha.

Sei falar apenas sobre crateras ou vésperas. Estou caída e com alguma voz rouca e velha dou conta de meu tombo, o bastante para que saibam das pedras que me rondam, da palavra espanto. Ou então me agacho, grimpo a coluna, estou de pé, corro eu, então eu corro temendo a véspera de outra queda. Era preciso mais. Era preciso o salto.

Para sempre sonharei com o maquinista que para e diz: "Está tudo pronto, pode subir".

Não fosse isso. Em frente. O muro. Por isso minha mãe agora quer uma casa de praia. Com boas vistas, arreganhando os dentes ao mar. Em tudo minha mãe esconde os interiores: de mulher seca, arbustos rentes ao chão. Dos seus pés vem o ruído de galhos, alguém a andar na noite e tropeça.

Mãe, essa lua, por que não larga durante o dia? A menina pergunta.

Entro nesta casa tão antiga quanto um cinzeiro de mármore da época dos escritórios. Percorro roupas guardadas nas caixas: a linha começa tecendo conjecturas sobre os vestidos. Logo seu engenho alcança fama, o carretel se desenrola e a linha cruza outro fio, escreve um único traço dentro da forma outrora plana. As hipóteses sobre o mundo tornam-se certezas sobre o pano. Nesta casa tão distinta das outras em frente, siamesas. Entro e um muro. Os carretéis também terão costurado as dobras nos cantos da casa. Enrugam-se párpados pestanas pálpebras ácaros. Quisera eu que se abrisse a arcada, mas sobressaem nervuras. Dou a palavra aos dicionários: arco gerador de saliência no interior de uma abóbada; viga na superfície inferior de uma laje. Entro e um muro. Os carretéis haveriam de descosturar o escuro, mas terão desistido.

Mãe prepara o café.
Menina não toma café: menina toma leite.
Não há leite. Então menina café. Curva-se sobre a xícara e olha para dentro: vê a si própria. O vapor chega-lhe como um bafo de cheiro cítrico. Fecha os olhos.

Com ambas as mãos, menina move a xícara em círculos, os dedos queimam, seu rosto circula: ela quer ver o fundo por trás das coisas. Gira a xícara gira as rugas do café. Mais rápido. Cada vez mais rápido. Até derrubá-lo sobre a toalha viva.

Entrego as mãos a ela. Minha mãe tem pressa. Apara minhas unhas sujas de terra e cálcio. Ela tesoura cega. Pressa, me prende peixe eu talho o ar. Quis esconder as mãos nos bolsos das calças, das saias, nas mangas compridas de sarja, para minha mãe não me retirar as unhas aos dedos — a única prova morta da luta. Minhas esporas. "Quieta, menina". O corte é fundo demais, expõe os subsolos da pele. "Não mexe".
Meu braço estendido rende-se.
Sou abissalmente. Por todos os lados voam pedaços de escama que um dia serão minha lâmina artéria. Depois de cortá-las, ela minha mãe não reúne as lascas no colo: deixa-me estilhas. Depois, retira-se.

Pela mão meço o seu escuro.
Palmo com palmo,
ela me devora. Minha mãe, corda de fibra rara.

Eu planejava a fuga.

Ela canta conosco em casa. Quer-me junto a si no sofá para ver de camarote o prodígio do filho ao teclado, mas ele infalivelmente estanca no primeiro *Salve! Salve!* Por vezes, meu irmão faz que entende a partitura, mas logo se equivoca, leva meses diante dela e afinal tudo o que sabe é de ouvido. Mais uma vez. *Brado retumbante.* Mais uma. Antes. *Desafia o nosso peito a própria morte.* Mais uma vez. Não, ele não pode.

Basta.

Ela então pede que eu vá ao teclado. Eu vou. Tenho a saia listrada, umas sandálias de fivelas e o cabelo para trás em rabicó. Minha mãe quem dissera que o rabicó disfarçava cabelos como os meus. Antes que eu toque, ela se adianta em cantar. Mais uma vez. Você está atrasada, ela me diz. Vê como perde o ritmo? Peço que espere. Reúno forças. Ela amassa os lábios para dentro. Reúno pressa. Desembesto rumo às margens plácidas e, enquanto me esforço para chegar aos raios fúlgidos, pressa, pressa, atento cada nota, e ela diz. Diz qualquer coisa. Ela se cansa. Ela se levanta. Ela deixa a sala.

— Uma vergonha para seu irmão — minha mãe vem me dizer à noite. Que todos estejam à espera dele no Sete de Setembro e eu de repente apareça. Roubando a cena.

Ela usa expressões: roubar a cena, apoquentar, encasquetei numa ideia aqui. Apesar disso, apesar de eu roubar a cena, ela permite que eu prossiga com as aulas de teclado, desde que não volte a tocar o hino. Para a diretora, ela enviará uma carta em envelope marrom, a escusar o filho pela ausência iminente nas comemorações da pátria. Sinusite. Ela dirá.

Fugir. Fugir de trem, mas

tanto tardei
que ao sair o Brasil carne com veias expostas. Ao sair,
todos os
trens
haviam morrido.

        Sobraram os trilhos.

O dia se afasta. Como hei de chamá-la pelo nome correto, a casa?

Há tantas caixas e eu
ao abri-las em partes separadas
as deposito umas às costas das outras, tantas caixas que é
possível é provável
                                                    é verossímil
que alguém tenha querido desaparecer.
Inspeciono a fatia do passado que coube dentro do papelão,
sob a vigilância dos ângulos retos
   a grade da janela
   a grade do fogão
   a grade detrás da geladeira
atrás dela foi onde guardamos nossas meias úmidas: ainda
há tempo, minha mãe ensinou, de usá-las amanhã na escola.
   Todas as grades
também com ângulos retos
da cor da ferrugem, e um céu laranja que cambaleia
   todas as tardes caberiam nessas caixas
com esqueletos de besouros junto a dentes de leite
ao abri-las elas arreganham as asas
mas não me apanham
   me apanham me
tantas caixas é factível é coerente é absurdo
que eu também tivesse querido ajudar.
Eu as trago para casa:
cada vez maiores, eu as recolho dos entulhos e das calçadas,
das lojas de eletrodomésticos, lojas de roupas de cama, de aces-

sórios para praia, montanha, gelo, das casas de microcrédito,
perto de pontos de ônibus
eu as recolho caixas famintas quase mortas

São cinco horas do verão que sufoca. Há filas de gente por toda
a cidade, reclamam um espaço à frente e avançam à pequena
frota dos ônibus que furou a greve
        a menina pergunta : como se fura greve? : é com o
dedo indicador, como se fura um bolo?
um espaço à frente, meu senhor — é greve é São Paulo é calor

Diante dessa calamidade
eu me pergunto: onde guardarei a mesa da cozinha?
Ela é circular
e as caixas são todas quadradas
        De cócoras,
           eu me pergunto onde
: onde estarão os arquivos os incêndios os resquícios dessa
casa tão longe.

Agora há leite. Menina não toma café. Menina toma leite. Há leite, mas mãe o esquece no fogão. Ferve até formar nata e transbordar.

Suponho conduzir com pouca perícia esse inventário. Ao anotar às margens da mesa, como em um livro, a antiga disposição das cadeiras, ao relatar as estátuas e vasos e flores mortas sobre a lareira, sobre o peitoril das janelas — reúno um mundo que se quer díspar. Preencho a lista dos acidentes: uma mãe, um irmão. Explico a incidência de infiltrações pelos vidros trincados. Inventário é a atitude de quem volta. Uma coleção de objetos cujo único destino é terem sido legados a sobreviventes: carretéis, cubo mágico, teclado, luvas de boxe, revistas com fotos de casas. Uma viagem que não aconteceu, o banco de trás do carro e minha mãe na frente a pedir para descer os vidros. O cachorro que morreu antes do tempo. Todas as imagens acodem para compor meu regresso, minha visita veloz e no mesmo ato larga, amarrada pelos trâmites de estilo e da pontuação que em breve desatará, alcoólica, com a mesma cólera dos objetos; enumero-os para buscar uma vida com título, epígrafe, posfácio.

Não sou só eu que coleciono vestígios. Todas as caixas espalhadas pela casa são a prova de que aqui vivia quem primeiro cogitou o inventário. Se assim não fosse, por que deixar tantas caixas, facilitando o serviço de notários? Eu entro em casa para lhe dar prosseguimento. Quer dizer: se minha mãe já planejava a própria morte, espalhando caixas pela casa, ela que durante minha infância distribuiu bebedouros no quintal, bebedouros de água e açúcar aos pássaros, eu então colaboro com sua intenção, encaixoto os equívocos e todos os demais objetos antigos.

Menina tem nojo de nata e por isso pinça com os dedos a extensa fronha branca sobre o leite.

Essas caixas são como as peças de roupas nas quais minha
mãe tropeçava ao entrar em meu quarto, são peças são roupas
são pétalas rotas deitadas de bruços. Nem era preciso tantas.
Toda minha vida cabe em uma delas. Em um pronome: ela.

Há pouca memória de quando lá fora.
Sei desses cristais,
das taças
      (sem marcas de bocas)
atrás da louça atrás dos talheres de prata
Minha mãe manda lavá-las, secá-las, guardá-las
      (sem marcas de bocas)
atrás da louça que já ninguém usa
nem as pratas, nem essas taças
      (todas de ponta-cabeça sobre o pano de prato)
nem o assobio que deveria ser de um pássaro,
mas é do vidro.

Lá fora, o muro.

Aqui:
Os nós os dedos nos armários
    : de abri-los, fechá-los. Não há papel nesta casa que
não esteja anotado: 2 pés de alface. Papel-toalha. Sabão.
            953-4311
            terça 10h
            Filho, lavei teus sapatos. Estão na lavanderia.
                                                  Mamãe
            Dr. Ricardo Kalia
            bigode ode ode ode
            volto às 15h30
            Denise ~~Nogueira~~ Pereira
            Av. Cruzeiro do Sul, 689

telefones sem nomes . nomes sem telefones . endereços sem nomes nem telefones . rabiscos ——

bilhetes
às empregadas que não aprenderam a ler mas
tomavam três ônibus desde Itaquera, Piraporã, Taboão da Serra:
            limpar chão, pia, fogão

Esta casa de linhas tortas e carretéis.

Subida de paralelepípedos e sem saída: não dá em lugar algum, não é caminho para nada. Viemos viver em um fim de mundo. Quando se tornou claro que eu nunca sairia de casa, aproveitei a visita de uma tia distante para passear pelo bairro. Minha mãe fora acompanhá-la às compras e dali à rodoviária; a empregada entreteve-se com roupas e cândida, deixou-nos a sós. Chamei meu irmão e fomos à loja de materiais para construção. Comprei trinta tijolos de barro. Os funcionários conheciam minha mãe, a mulher que sempre pedia orçamentos e os anotava em papéis irreconhecíveis. "Por fim começam as obras, então?", perguntaram. Não respondi. Enchi-me de vergonhas. Paguei. A ideia era levantar nossa casa-refúgio no quintal. Saímos. Com mãos de criança, nos lançamos contra o peso impossível do vermelho. Tijolos de barro endurecem o corpo. Tentamos erguer aquele enorme saco, pescadores à rede. Rompeu-se. Veio a chuva. Ficaram à mostra os peixes de argila esfolados. Ficamos nós na esquina da loja.

Ela, estacada em casa, é o som das panelas de alumínio. Impossível desfazer-se dela, minha mãe. Mesmo quando lá fora, enquanto atende os clientes na Avenida Paulista, depois que o carro enguiça na Nove de Julho. Ela lá e em casa ela também: pediu para a empregada fazer mandioquinha com carne moída.

Que nome dar a esta casa: emboscada?

Lá fora é quando ela nos leva ao zoológico. Devo ter. Cinco ou seis anos. Gente ao lado, gente saindo dos banheiros, gente chupando sorvete. Ela conosco. Gente pulando, gente arrancando flores pelos caules. Fomos conhecer o rinoceronte. Meu irmão, em casa, não entende de rimas nos livros de desenhos: pato, rato, gato. Diante da jaula, encanta-se com o rinoceronte. Sorri, ri, só.
Hora do lanche no zoológico. Minha mãe me estende a maçã envolta no papel alumínio.

Eu desembrulho lua cheia prateada. Devoro-a.

Aquela a casa esta. Não é mais. Pelo nome correto, hei de chamá-la. Já foi minha. Não é mais. Hoje falha. Foi a casa da minha família. Ali viveram: mãe, irmão. Nenhum pai.

II.

É à casa deles que eu volto, então. Toda minha tragédia consiste nisso: viver há uma década em Lisboa e sonhar todos os dias com essa aquela casa. A mobília exata. Moro num canto de quarto. Ando entre sofás de poeira e cedro, toco a mesa de centro redonda onde os jornais, todos os objetos que minha mãe colecionou com afã de etnóloga: vasos de terra vulcânica, cabeças de zebras em ferro ou bustos em madeira vindos da Austrália, da Nova Caledônia, de onde ancestrais.
Ela chamando em voz alta Deus, sol, o diabo.
À casa deles eu volto, agora. Estou aqui. Depois sairei, fugirei de trem não há trens fugirei de navio não há navios embarcarei no avião de novo a Lisboa. Não há Lisboa. Há apenas este muro aqui.

Recolho com as unhas os detalhes entre o batente e o vão da porta.

Direi apenas de ouvido:
atento ao muro
é de lá que eu venho. de um muro. seco.
gaveta emper-
r
r
r
ada
comigo dentro.

Se eu tivesse ficado, por céus não quereria recobrar o fôlego de ver tudo de novo, não. Alojei-me nas dúzias de frutas com sua natureza bruta de fera. Me instalaram em um corredor, tornei-me um muro de longa distância. Quando fui colher vida aos prados vi que não havia prados e que minha saudade era um museu —

       se eu não tivesse saído jamais razão teria tido ao regresso — restauro ao avesso, o velho é tão outro que novo sem lastro; e porque não o fiz meu futuro é prévio: antes que fosse planície e ermo é desse deserto que venho e não reconheço. Sou isso, sou três, furo, sou zero.

Se me tivesse sido dado sair, diria. Quem, eu? Eu? Não foi engano? Mostraria meus documentos. Por favor, verifique. Não saberia de memória o número do CPF, do RG, do tipo sanguíneo. De memória, diria apenas o endereço: rua, número, bairro, código postal. Certeza mesmo? Insisto. Então quer dizer que posso partir? À resposta afirmativa, não haveria outra senão alargar a boca. Obrigada. Acorreria aos cambistas com seus típicos bonés e pagaria o bilhete em dobro, que é quanto devem custar os bilhetes de quem já não volta. Berlim Miami Salvador Sete Lagoas Jerusalém Sidney Lisboa. Eles decerto oferecerão: beijos, bilhetes para jogo de futebol, para desfile de carnaval, banquinho desmontável com guarda-sol. Recusarei um e todos. Só me serve o bilhete com direito a salvar-me ou seja daqui a uma hora ou seja o bilhete de sentido único. Treinada nas contas domésticas, mas tão magra para passagens, deixaria que me roubassem o troco, já tendo pago o dobro do preço. O bilhete ficaria guardado no bolso interno da blusa, tão íntimo quanto as correntes finas de ouro com uma cruz que trazem os crentes. Na plataforma da estação, se ainda houvesse estações e os trens não estivessem ferrugem e mato, ou se em outra geografia e para isso um navio de três meses em alto-mar, eu o veria chegar: lá vem ele, lá vem o nunca mais voltar.

Em Lisboa me esperam chaleiras cozendo o inverno.

A fonoaudióloga diz que pode ser bom:
— Pode ser bom.
Minha mãe repete:
— Pode ser bom.
Minha mãe repete, mas prefere consultar um médico. Ao telefone, ela adianta o assunto:
— Disseram que pode ser bom.
O otorrinolaringologista concorda com a fonoaudióloga:
— Pode ser bom.
Mas é preciso ter certeza, é preciso uma consulta:
— Pode ser bom, mas vai saber...
Minha mãe assente. Agenda hora. Alegra-se. Divide a alegria com as estantes, o corredor, as revistas de casa e construção:
— Pode ser bom.
Divide a alegria com a empregada:
— Pode ser bom.
A empregada se alegra também e diz:
— Pode ser bom.
A consulta acontece. O otorrinolaringologista prescreve:
— Pode ser bom. Não custa tentar.
Minha mãe repete. Confia em médicos com especialidades de difícil pronúncia:
— Pode ser bom.
Ela sai em busca. Desce toda a Rua Voluntários da Pátria:
— Pode ser bom.

O vendedor concorda:
— Pode ser bom. Mas aqui não temos.
Ela segue em busca. Cruza a Treze de Maio, a Marginal Pinheiros:
— Pode ser bom.
O vendedor concorda. Aponta para o fundo da loja. De longe vê-se a madeira brilhar:
— Pode ser bom.
Mas é caro. Minha mãe pechincha, regateia, faz chantagem. Perde.

Quando a fonoaudióloga disse que tocar um instrumento podia ser bom para o meu irmão, ela deu exemplos: flauta, violão, piano. Qualquer um. Porque liga a coordenação motora às emoções. Se não pudesse cantar, então que tocasse. Ao fim e ao cabo, a fala truncada de meu irmão era um excesso de. Medo. Vergonha.
— Vergonha do quê?
Minha mãe quer saber.
— Medo do quê?

A fala truncada de meu irmão. Não termina a frase, a sintaxe cambaia e salta do penhasco. Ele fica com as metades. Eu olho para baixo, tento apanhar o vazio. É isso: falta o verbo. Tem o resto: sujeito, as pausas, apostos. Farelos. Sem gaguejar, ele apenas deixa cair o peso, e com ele o gesto mais forte de um homem. Minha mãe prevê que ele será para sempre e ainda um menino. Ela diz que é problema para fonoaudiólogos, e desde pequenos essa pronúncia impossível rouba-nos a tarde,
                        as salas de espera dos consultórios estão cheias de cartazes. Eu também lá estou. Sou um deles, colado à parede: o indicador teso sobre a boca, pedindo silêncio. Problema não tenho, mas fala-se sobre o contágio entre irmãos, também eu esquecerei os verbos. Ela não permitiria. O verbo, minha mãe, o verbo é ela: é dela a força e o estandarte.

Ela visualiza o futuro piano na sala: a cauda em onda recortando de negro a paisagem. Um piano é, afinal, uma grande onda negra. Teria de dizer à empregada para não se aventurar com a vassoura por ali, não fosse se chocar contra o instrumento. Teria de dizer também que não viesse com enceradeiras. Teria de dizer, mas regressou à casa tarde e exausta. Trazia uma caixa:
— Aleluia! Para o novo músico desta casa.
Meu irmão saltita com pés de pássaro e vem ciscando alegrias pelo caminho. Minha mãe toma a dianteira. Explica: o piano é o mais belo dos instrumentos, tocá-lo é como pintar a Capela Sistina. Por isso, todo cuidado ao empunhar os pincéis.
Abre a caixa e, pese a textura, o peso, a matéria, em tudo diferente de um piano, assim se refere a ele. Ela diz: "Que piano!".
Mas se trata, é evidente, de um teclado. A diferença entre ambos é de tamanho, devia pensar. Há outras, pequenas: um funciona com fios ou pilhas. O outro, não se sabe. Funciona, simplesmente. Talvez também levasse algumas pilhas, maiores, atrás. Não importa. Podia ser como os trenzinhos e carrinhos que meu irmão empurra aos quatro anos e aos cinco e aos seis. Tem sete anos quando senta-se diante do teclado e espera que decole ou dê marcha a ré.

No início, a professora Fátima chegava às três e meia, mas com os anos ficou preguiçosa, e seja porque o trânsito estava impossível, seja porque o pneu do carro furou no caminho para nossa casa, passou a chegar às três e quarenta, e depois às três e quarenta e cinco. Respondi à altura, adiantando em dez minutos os ponteiros do relógio da sala para abreviar ainda mais o tempo da aula. Àquela hora, minha mãe estava na Avenida Paulista atendendo clientes interessados, como ela, em comprar casas; mas, diferente dela, casas na cidade, não na praia. Tiveram mais sorte.

A professora ensina pequenas canções ao meu irmão. Abrevia as partes difíceis. Reduz ao máximo os bemóis. Suprime o contratempo. Por fim, apaga a clave de Fá: ele tocará apenas com a mão direita. A esquerda, ao ganhar estima, fará o mesmo percurso da outra, em uníssono, uma oitava abaixo. Se hoje eu lhe visse tocar, entenderia a força de tal gesto: é o de uma perseguição.

A cada compasso correto, o "pequeno Chopin" entusiasma-se, a professora promete que logo ele será capaz de tocar *Claire de lune*. Mais tarde, selado o acordo com a escola, prometerá o impossível, prometerá o Hino Nacional.

Ela sempre me pareceu inofensiva. Surpreendeu-me que às primeiras aulas, quando nos falava sobre o metrônomo, "um relógio que não se atrasa nunca", quando cantávamos as sete notas em "Ré, reluz é ouro em pó", surpreendeu-me que tenham se seguido tardes tão pesadas. Minha mãe a desculpou: ela vinha de longe, devia chegar cansada. Não ostentava, porém, as costas moles do cansaço. Não, vinha rígida. Uma lasca de madeira, mal podia mexer os braços hirtos.
Assim também quer a mim: retilínea no banco, os cotovelos dobrados a noventa graus. Esforço-me. Ela reclama. Devo ser torta, penso. Ganho mais alguns graus de retidão. Não basta.

Sobretudo, ela não deixa que eu passe ao caderno II do método Van de Velde. Francês de Lille. Mostro meus avanços: exercícios com intervalos de seis notas, uma pequena valsa alsaciana, *Cyrano de Bergerac*, *Andantino* segundo M. Clementi, *Souvenir de Bâle*, página 47. Não adianta. Ela me pede *Il était une fois*.

Resigno-me ao caderno rosa. Mais penoso ainda, o aquecimento das aulas, longuíssimo, que não constava no método. É a crueldade suprema dela: manda-me tocar escalas. Faz-me repetir as maiores, infinitamente, sem que a destreza desse prova de qualquer aptidão para aprender as menores.

— São mais alegres — ela dizia sobre as escalas maiores. Dizia e me olhava demoradamente, até a vergonha me soterrar a cabeça dentro de alguma partitura que estivesse à mão. Devia saber da minha inveja por pessoas nascidas sob escalas maiores. Ela me colocava à frente a pauta com as sete notas e seus acidentes. À caneta, marcava as notas, batendo o pé e dizendo tom, tom, meio tom, tom, tom, tom, meio tom. Eu as tocava. Obsessivamente as tocava, a ponto das cinco oitavas do teclado tornarem-se tão curtas quanto, mais tarde, a calça do meu uniforme, cuja barra minha mãe diminuiu demais ao costurar.

Calo-me. Por mais que eu tente, é impossível: a professora nunca muda de aspecto. Sempre a falar das escalas maiores. Consegue o que quer sem expor gritos nem veias inchadas. É como se eu lhe impusesse a fisionomia torpe dos lábios cerrados, se meus dedos se tivessem cravado às suas sobrancelhas e lhe impedissem de dobrar. Ela tem invariavelmente essa cara de exigência, de quarta-feira: meticulosa. Não é raiva contida o que ela tem. É obstinação. A boina de veludo pende sempre para o mesmo lado.

Levanto-me, desligo o teclado da tomada: a aula chegou ao fim. Despedimo-nos, a empregada vai lhe abrir o portão e eu subo ao quarto. Mais tarde, ao voltar à sala para buscar um lápis esquecido, encontro meu irmão no banco de couro, a postos. Ele mantém-se em frente ao teclado, que continua fora da tomada. De repente começa a tocar uma canção inaudita, pianíssimo, amaciando as teclas mudas de plástico.

O teclado de cinco oitavas chegou de supetão na primavera, e durante os anos em que moramos naquela casa, enquanto ele hospedou as aulas às quartas-feiras, aceitando que lhe impuséssemos aos seus dedos brancos os nossos, sujos, de criança, que lhe esfolássemos com os estudos de escalas, quando compôs a nossa infância com o som de coisas ligadas a fio, e depois a pilha, e mesmo mais tarde, quando meu irmão já não estava e o teclado adquiriu a textura do granito, apesar das escalas maiores, eu não pude senão tingi-lo com minha tristeza de sustenido que verteu sobre todas as teclas agora negras, minha mãe a me afastar e a tapar o teclado com um pano grosso; interdita-o, à espera de que o filho volte; diante desse túmulo que encontro à minha chegada, durante todo esse tempo — minha mãe sempre o chamaria de piano.

Ela nos manda ao quintal tomar sol porque o sol não chega para tanta casa. Culpa do muro. Ao quintal vamos nós, fiapo de manga entre os dentes.

Minha mãe senta-se no sofá. Apoia a bolsa no colo. Desmonta-a como a um aparelho complexo: saem de dentro cabos e parafusos com forma de lenços, canetas caducas, talões de cheques, duas caixas de óculos vazias e páginas avulsas de revistas roubadas em consultórios. Ela busca a agenda de telefones. Entre tantos objetos, alcança o pequeno caderno de capa de couro, dividido pelas letras do alfabeto. Abre-o. Em seguida, o fecha. Torna a meter as mãos dentro da bolsa. Nada. Levanta-se, sai em busca dos seus óculos, os de ler de perto. Vai à escada, ao lavabo, e antes de chegar à sala de jantar os encontra, pendurados, no pescoço. Volta com os óculos postos e abre a agenda de novo. Com o gancho do telefone preso entre o ombro esquerdo e o pescoço, disca o número.

— Cadê a Iracema?

Não estava. Era um número de recado.

Como não estava? Minha mãe não acredita na voz, na ausência de Iracema, tampouco em números de recado, mas enfim deixa um recado com o vizinho de Iracema. Que dissesse se viria ou não trabalhar. Afinal, já passavam das dez horas. Se não viesse, que lembrasse ao menos onde havia guardado o seu vestido, não estava em nenhum cabide.

Lá fora é quando minha mãe nos leva para ver casas em exposição.

Rondamos de carro, farejando placas. Vende-se. Ela confere a fachada: se for dois andares, quererá entrar, e para isso estacionará o carro em baliza, cuidando de medir a distância pelo retrovisor.
Minha mãe sempre inventa itinerários. Para nós, para os corretores. Para os seguranças das casas em exposição. Ela, contorcionista, busca qualquer edifício importante nas redondezas para mentir que seu destino original era ali, nos correios ou no posto de gasolina, mas que, sem querer, viu a placa.
Sem querer uma placa, entre ipês e fios de eletricidade, anunciando vende-se.
O homem sentado no banco é o pôster dos nossos passeios. O mesmo em todas as casas em exposição. Solitário, de azul-marinho ou marrom. Uma corcunda e a espera. Sequer jornal. Às vezes um rádio de pilha ou um copo de plástico atrás do banco.
Meu irmão e eu correremos porta adentro. Escolheremos nosso quarto:

                          esse é meu
        não, é meu
                    é meu
    eu falei primeiro
                mamãe, eu falei primeiro, não falei?

— Falou, filho.

Ela pergunta ao homem sobre os antigos donos, escreve o telefone da imobiliária em um pedaço de papel que perderá dentro da bolsa junto dos outros bilhetes com números sem nomes. Os dois conversam sobre hidráulica e eletrônica.
Durante uma semana nós perguntaremos a ela quando vamos nos mudar.

— Posso levar meus rinocerontes, mamãe?

Ela diz que vai pensar.

Depois esqueceremos.

Estou sentada junto ao teclado. Visto uma camiseta branca e saia de sarja. Ela diz que estou a mostrar as pernas ao meu irmão. Ela diz: — Para de se insinuar.

Entre uma e outra visita às casas em exposição, durante as quais minha mãe nos fazia crer que compraríamos uma casa nova, onde coubessem cavalos, piscina, trampolim, onde coubesse toda a coleção de rinocerontes em miniatura de meu irmão, entre uma e outra casa nós esquecíamos das suas pequenas mentiras. Ela apenas queria contentar-se vendo casas que não compraria, casas demasiado caras e que, de todo modo, não eram de praia. Invejava os clientes aos quais acompanhava às visitas em apartamentos duplex. Ela agora queria ser a cliente. Assim que anunciava a nova excursão, arremetíamos para o portão, ansiosos, prevendo como seria a futura morada, fazendo as contas de quantas malas poderíamos levar, e se seria muito difícil trazer conosco o nosso quintal, tão cheio de pássaros.

Desta vez, como circulássemos mais de uma hora e não houvesse muitas casas à venda com o homem das chaves à porta, minha mãe inventa um itinerário com máquina fotográfica e chapéus. Ao centro da cidade em pó.
Ônibus tossem, sapatos aram calçadas, os postes integralmente sob anúncios de ouro, de compra-se, vende-se. Coleções de pedestres em volta do homem que fala em Jesus, do homem que pede uns cruzeiros e fala em Jesus, a camisa suada. Eu me aproximo dele. Não é como os outros, com cigarros nos bolsos da camisa. Seu bolso está vazio. Abre os braços e, em estado

de regência, ordena e gesticula. Não o entendo: está afoito, algo lhe acontece. Há um apocalipse e uma tormenta. É tudo o que há. Há Cristo, há o pecado. É tudo o que ele diz. Algo lhe acontece, é preciso salvá-lo; o homem de camisa fala em Jesus e desespera-se. Eu me aproximo, e é com decisão que as mãos dela, de minha mãe, me afastam. Por aqui não, ela diz. Quer nos levar à torre de andares infinitos de onde os olhos se precipitam.

Ela nos leva ao epicentro da cidade bombardeada.

Torre Itália.

Do alto não se veem as coisas. Lá embaixo, apoiados apenas por um pau que marca, ao modo de cruz, a parada de um ônibus atrasado: ali estão eles, os homens.

Eles deixaram a impressão dos dedos no tatame e no cimento. Há mais, há outros. Um ao meu lado. Atrás da máquina fotográfica, na Torre Itália, ele aguarda a hora exata para o botão, encontra consigo próprio nesse gesto: agachar-se, joelho direito no chão, cotovelo apoiado no esquerdo. A mão faz um círculo ao redor do canhão mínimo a que chamam de lente.

Assim vive: assim está vivo: assim está vive-se.

Minha tia-avó, sempre em posição de espera, diziam, tinha os braços estendidos, braços de Rio Paraná, antiquíssimo e em oferta. Esperava que a massa cozinhasse, esperava que a luz voltasse. Sem edifícios para demolir e construir, sem nada que pudesse comprar ou vender, deixou impressos seus dedos noutros lugares: nas costas de girassóis, nos vincos das roupas, nos cafunés.

Eu, eu não tenho gesto. À mesa de algum bar alguém poderá dizer sobre mim: ali, ao fundo, está ela. Veja como segura o cigarro: ao modo de um incenso. Ou ao modo de vento. Junto à janela que dá para uma banca de frutas ou um estacionamento qualquer. Mas não, eu não o tenho. Gesto que me defina; pese as mímicas que faço ao imitar os homens os entes de minha espécie.

Estou no quarto a olhar para o escuro.

Minha mãe sai para comprar batatas. Com maestria sobre o cotidiano, ela compra suas batatas e as descasca na cozinha. Sabe comprar batatas. Descasca-as. Enche-me desse remédio agrícola. As tuas enxaquecas, ela diz. Deita-me e me aconchega nas cobertas. Fecha as janelas e prega as cortinas à parede: a certeza de que nenhuma luz. Aproxima-se e coloca cascas de batata nos meus olhos. Para as tuas enxaquecas, ela diz.

Sobre os olhos
    as cascas das batatas

Mãe sentada
descasca: catarata cal afta

Centenária, a pupila nunca se atrasa

Sobre meus olhos,
    as cascas das batatas

são brancas e sem artérias

A solidão do quarto completa a safra

Minha mãe ensina mais: açúcar, água. Eu os teria avisado se soubesse da mentira. Aos pássaros: os bebedouros são de plástico. Néctar de mercado. Mas eu menina. Nós, crianças. Perante o presente somos todos fracos.

Menina é partes é toda de lado é outra e retalho ou ditongo aos pedaços só dor é inteira. Menina nasceu brincadeira. Se fosse grande, trocaria as flores falsas do quintal: bebedouros de água e açúcar seriam de água e sal.

Ela minha mãe só quer uma casa. Onde possa ser preguiça, repousar os pés sobre uma esteira. Só isso. Ela diz. O desejo toma-lhe mais o corpo: onde beber água em botija de barro, tapar janelas com cortinas de brim, a rede na varanda, cozinha com duas pias. Onde. Onde. Ela quer comprar o terreno, mandar fazer a terraplanagem. Vai querer levantar sua casa.

Em São Paulo, seguimos novo itinerário.
Uma rua inclinada.
Aproximamo-nos de um homem solitário de azul-marinho e corcunda.
Desses que ficam em frente a casas em exposição, sentado num banco.
Era um homem em frente à casa em exposição. Sentava-se num banco.
Na entrada da garagem, as folhas envelhecidas. Bate sol. Ele segura o panfleto da imobiliária junto à testa, como se pudesse livrar-se do sol, e assim, escondido, vai contando à minha mãe "O preço não sei não, senhora", vai dizendo "Eita calor danado". Passa o vento e o panfleto voa, voam folhas, ele se esconde agora atrás do antebraço armado em lança. O sol não perdoa. Entramos.

— Mudaram pro exterior — o homem responde a todas as perguntas da minha mãe. São muitas.

Ela testa as maçanetas. Quer saber se faz tempo.
— Faz nada — diz. A imobiliária acabava de botar a placa. Estava fazendo um sucesso. — Se viesse cedinho tinha fila de gente na porta.
Mas as folhas envelhecidas no chão.
— Isso não é nada. É do vento.
Ela lhe estende um cigarro. Aquelas folhas secas no chão não deviam ser bom sinal. Já estavam secas. Ele recusa o cigarro. Olha em volta. Era verdade: já estavam secas. Ela volta a lhe estender um cigarro. Ele assente. Aceita o cigarro. Estaca no batente da porta. Pelo visto. É o que diziam. Alguma desgraça. Ele não sabia de nada, mas tinha ouvido falar. Porque as portas eram de vidro, enormes, alguém deve ter visto. Os vizinhos, eles é que diziam. Mas vizinhos sempre dizem algo.

Minha mãe inspira-se nos corredores alheios para quando sua casa de praia. Planeja as medidas, as esquadrias de madeira e o piso de terra batida da cozinha. Inveja as pessoas próximas, a Teresa que comprou casa em Camboriú: "De pensar que eu é que dei essa ideia". De nenhuma delas, de casas ou pessoas, retirará nada: as casas à venda ficarão vazias ou com novos donos que não minha mãe, as amigas viajarão às suas casas de praia com seus cachorros de São Paulo. Mas foi daquela casa da rua inclinada, habitat de alguma desgraça que minha mãe não nos contou, foi dela que minha mãe tirou a ideia, a ideia insolente, das grandes portas de vidro entre o quintal e a sala de jantar. Seria preciso fazer orçamento, chamar um pedreiro, seria preciso. Ela vai. Ela não aguenta. Agora a vizinha da rua de trás também tem casa na praia. Ela não pode mais. Ela inveja. Não há praia ainda, mas há esta casa aqui. Ela vai, ela manda derrubar paredes de São Paulo como se vistas para o mar. Vai levantar uma grande porta de vidro.

Digo ideia insolente porque: se ao menos um. Solzinho. Mas nem fiapo. A porta de vidro não nos serve de nada.

Em menina, ando escondida pelo corredor com o vestido de minha mãe. É comprido demais, cai dos ombros e tenho de prendê-lo com pregadores na altura das canelas. Sou pequena dentro de tanto pano e linha. Tomei-o. Não por engano, mas porque todo filho quer obturar o genitor.

Tudo por uma porta de vidro. Tão grande que ao transportarem trincou uma parte manda vir outra a culpa é do motorista manda vir outra o motorista vai para o olho da rua não importa manda vir outro motorista manda outra porta tem que encomendar no fornecedor e que culpa tenho eu? vai demorar manda vir outra a culpa é da senhora é dessa rua de pararele palalele paralelepípedos manda vir outra. Mandaram vir, mas a culpa não cabia no vão da parede.
— Grande demais — diz o instalador de portas de vidro. Decidiu-se. Era preciso cortar o vidro. A empresa não podia arcar com tudo. Erros se dividem. O pedido decerto havia sido feito às pressas, confundiram os centímetros. Decidiu-se. Minha mãe deveria pagar um adicional. Ela paga. Três semanas. Instalador e ajudante regressam. Testam.
— Perfeito — disse o instalador de portas.
— Sem tirar nem pôr — disse o ajudante que também era motorista.

Eles varreram o corte na soleira, e depois aplicaram massa no corte da soleira, e depois umedeceram um pouco o fundo usando uma bucha amarela, e depois espalharam e assentaram a massa com uma espátula, e depois sarrafearam a massa com um perfil do trilho para obter a altura exata, e antes de terem conseguido instalar os trilhos,

(Os trilhos são o mais importante.)

manda vir outra roldana não servia manda vir outro calço outra fechadura manda vir manda vir esta não funciona manda vir outra de alumínio a marcação dos trilhos a marcação está errada não faz mal a gente emenda e finalmente:

Finalmente a casa ficou sendo um sobrado nos trópicos com jardim de inverno na frente, uma lareira apagada na sala e uma enorme porta de vidro incolor com dez milímetros de espessura sobre trilhos que não me salvaram.

Minha mãe, contente, aprecia a obra: — Agora, sim! Grandes portas fechadas que a poeira maltrata. Dividem o quintal e a sala de jantar. Majestosas. Se estivessem à frente de uma igreja não mais uma igreja: seria uma catedral.
— Não falei? — minha mãe pergunta. — Flanela faz milagres. Agora fala à empregada em cima do banco, a limpar as portas de vidro.
A empregada, talvez Eunice talvez Ivete talvez Crisântemo, Crisântemo é nome de enterro, não, talvez Rosa, então fica sendo Rosa. Rosa acena. Despede-se com seu lenço laranja, adeus, uma vez, despede-se de novo, adeus, duas, três, quatro, despede-se para cima, para baixo, enquanto desliza a flanela no vidro.

Eu vejo a cena do outro lado. De dentro da casa. Por trás da porta de vidro. Eu me despeço com uma bolacha nas mãos. Minha mãe vê a cena por trás de Rosa. Não se despede de ninguém.
— Naquele cantinho ali, ó — minha mãe recomenda. Rosa despede-se do cantinho sujo. Limpa-o.
— Não falei? — fala minha mãe.
Ela sempre fala. Fala que a chuva e vem chuva, que o sol e vem sol. Fala que deixar cebola aberta na geladeira dá mau cheiro e molho de tomate mancha pote de plástico. Fala para secar bem entre os dedos senão frieira. Fala que pé no chão dá gripe. Fala para não jogar fora o caderno de imóveis do jornal porque um dia ainda encontra uma bela casa de praia vocês vão ver.

Minha mãe arremata. Quer ter a certeza de que Rosa tem certeza:
— Mas tem que ser flanela seca.
Com isso minha mãe quer dizer. Primeiro passa-se o limpa-vidros. Quer dizer, primeiro sobe-se num banco. Não, primeiro arranja-se um banquinho para subir. Desses de madeira. Se estiver bambo, favor fazer o trabalho mais rápido. Se cair, gritar alto para alguém ouvir. Se alguém ouvir, que venha correndo com mercúrio-cromo.
Se subir no banco e se o limpa-vidros, depois favor passar a flanela seca. No espelho, jornal; na porta de vidro, flanela seca. É simples. Cada coisa tem seu habitat. Na neve, bota; na praia, chinelo.

Em casa, os filhos.

Estou de novo no escuro do quarto. No quintal, meu irmão empurra o trenzinho logo o carrinho e em breve empunhará um rinoceronte. Estou no quarto com a pele de batatas sobre os olhos que cheiram a enxaquecas. Ficarei aqui até anoitecer, a veia pulsa e eu um susto, minha mãe vigia o silêncio no corredor, não há cães por enquanto, ela mesma faz a vigilância, a veia inflama e eu cuspo no balde ao lado. Na minha infância não habitam batatas fritas; das batatas, apenas as cascas sem mandíbulas. Deito-me de barriga para cima, não esperneio. Tartaruga de costas sobre o chão sem saber virar-se, não insisto e nada peço. Chorar só faz aumentar a dor. Assinto. Cedo aprendo a posição dos mortos. Hoje minha mãe não costurará. Quando se cansar de vigiar meu silêncio e o da casa, ela buscará suas revistas e anúncios de jornal. Quer uma casa de praia. A caneta emperra como a overloque, ela a esfrega entre as mãos porque dizem que o calor, assim dizem e ela assim o faz, a caneta quase morta desperta o bastante para o círculo: ela circula mais um anúncio na seção de imóveis do jornal.

Quando a porta inserida entre a sala de jantar e o quintal, quando a porta e minha mãe cansada de buscar uma casa de praia em anúncios imobiliários, ela decidirá: construí-la.

Ela escolhe o terreno. Ubatuba.
Seria preciso chamar pedreiros, seria preciso. Ela vai. Ela avança. Ela contrata os homens da obra.
Não sei o que terá sido deles.
Por que a pele franzina?
Por que o cabelo empedrado?
Não sei.

Viajamos durante o fim de semana e no carro meus cadernos confundem-se de página. Venta. Ela não nos quer por perto, acha que um terreiro de obras não é espaço para crianças. Permite-nos andar em círculos nas ruas de terra dos arredores. Ao regressarmos para o carro, estacionado por horas sob o sol, encolheremos o corpo, sentaremos aos poucos e em partes, fugindo do forro de couro e do cinto de segurança, que queimam.

— Não ponham a mão nas paredes.
Ela avisa.
Estão todas com nossas pegadas de crianças.
Chegamos em casa depois da inspeção no terreno da praia

que logo terá uma casa linda dessas de revista, e as paredes em São Paulo parecem-nos mais brancas tão brancas que dá pena deve ser anemia.

Entre os homens das obras, algum dia haveria um Zé. Não: José Augusto de Menezes. Não: José Maria da Silva Martins. Não: José Abençoado Seja. Tudo: Zé. Não importava, sobrenome de mãe solteira nunca importava. De mãe solteira de pedreiro. Então isso o tudo: Zé. Ele na futura casa de praia. Começaria a terraplanagem. Rápido demais, sem tempo sequer para. Medir. Para assentar. Para. Ponderar as partes. Quantas partes uma casa de praia? Ficam sendo quatro, depois lá pra frente a senhora muda. Logo o cimento em cima.
Minha mãe discorda.
Melhor sem partes. Melhor tudo junto. Depois se divide. Uma casa começa como uma casa; uma casa é um amontoado; dividir é coisa para notário. Uma casa é um ventre com o mundo dentro. Só era preciso saber as medidas totais para nascer o chão. Minha mãe calcula. A casa, por fim, teria dez de frente por dez de lado. Um perfeito cubo mágico.
Assim era uma casa muito maior que o acertado. Assim seria mais difícil, diz o Zé.
Minha mãe discorda. Difícil era criar filho.
Assim levaria mais tempo, diz o Zé. Assim cobraria por dia, não por serviço.
Minha mãe discorda. Tempo era criar filho. Para isso ela nunca recebera um tostão.
Assim pelo menos meio pagamento adiantado, diz o Zé.
Acertam-se. Minha mãe dá vinte e cinco por cento e fica sendo assim.

Agora, sim, o cimento por cima. Não por tudo. Pelo começo, ainda. Cada coisa a seu tempo. Primeiro uma coisa, logo a outra. Começa-se com dois metros de cimento.

— Essas marcas de pé no cimento, de quem são?
Eram do Zé.
Eram do meu irmão.
De algum pássaro que tombou no chão.
Melhor refazer.
Mas agora Zé tem outro encargo lá na carochinha, agora Zé não pode. Zé só mês que vem.

Minha mãe: sua valentia divisava com o oceano. Por isso é que corria tanto, correu a vida inteira na luta desgraçada de se segurar no mundo sem perder a poesia. Nascera sob um sol malfeito, era ainda madrugada. Corria porque tudo ameaçava desatino: as xícaras, os sábados. Tinha a alma sem governo.

Vai, filha, que rápido se consegue viver. Punhado não se queira — essas as palavras de mãe. Por que desistiu de correr? E, no entanto, para onde corria, se loucura nasce é de dentro da alma?

Apalpo o passado à exaustão. Essa atitude dos que restaram. De um incêndio, por exemplo: quem deixou o fogão aceso? Quem incendiou a Vila Socó? De um suicídio: como não fomos capazes de prever que alguém se atolaria no absurdo? Cada um excursiona sobre trapos e pó para refazer os últimos passos. Mas, sobretudo, interessa ir atrás do primeiro sintoma. Arqueólogos. É a única maneira de inventar culpados.

Saio em expedição aos restos.

III.

É noite.
Meu irmão deita-se sem escovar os dentes.
As estrelas se acendem, fluorescentes, coladas ao teto. O tamanho da galáxia: milhões e milhões.
— Um milhão — ele diz.
— Dois.
— Dez — ele diz.
— Mil.
— Quanto é mil milhões?
Assusto-o: é muito. É tanto, mas um dia um meteoro e a Terra acaba. Noite. Cada um para um lado. Ele tem medo. Apalpa o escuro até encontrar meu braço.

Meu irmão, menino a quem pouparei o nome, não direi com quantas sílabas solapou meu coração. A balística dos pés é incerta: anda, afasta-se. Não falarei da sede. Direi apenas que se trata de escassa palavra: amor.

Eu gravei teu rosto
nas golas
nas barras
nas costas   dos prédios

das casas
   dos quartos   onde habitei
Depois fui embora.

O beijo que se dá na boca
de um copo deserto, e nunca se lava
Ficaram teus traços
 vincados às paredes em volta ao pescoço
Dentro do corpo
 — mesmo depois de tão velho,
há chaga.

Estou sentada junto ao teclado. Levo um vestido manco e um cadarço apertado demais. Abaixo para soltá-lo um pouco. Ela atravessa a sala e diz que estou me mostrando para meu irmão; ela diz: — Para de se insinuar.

Talvez tenha sido pior. Talvez eu levasse os cadarços desregrados. Estou sentada, tocando as escalas menores, em respeito ao teclado e em desobediência à professora que virá quarta-feira. Abaixo para atar os sapatos. Do sofá, meu irmão acompanha com os olhos meu gesto. Ela minha mãe entra na sala e me atravessa; reivindica melhor postura, diz que estou a me mostrar. Ela diz: — Para de se insinuar.

Francisca ou Ludimila ou Cleide vem contando esbaforida sobre a tragédia, Ai, senhora, não sabe o que me aconteceu..., diz, e a isca engancha a patroa: minha mãe deixa de lado o cálculo do quilo do cimento e se embrenha na voz da mulher. A empregada senta-se, inclina-se à frente, apoia as mãos sobre os joelhos, ofegante, e depois recupera a postura, sucessivamente, como se terminasse uma corrida. Conta que algo grave, e pelo seu fôlego sabe-se que é desgraça, dentro em pouco eu e meu irmão chegamos do corredor, e agora somos nós dois com minha mãe: a empregada vai suspirando e dizendo que quando se levantou algo lhe dizia que um mau dia, esse tempo não tá pra boa notícia, acordara antes do despertador, isso só podia ser mau sinal, fez o café e saiu pitando para o ponto de ônibus. Nós e minha mãe: a plateia espera à frente do espetáculo, e a empregada com mania de cambista que demora em falar o preço dos bilhetes. Ela retoma: esquecera a blusa para o caso de esfriar e foi quando

— Conta logo, mulher — diz minha mãe.

Minha mãe quer saber o principal. Exaspera-se diante de quem posterga a fala. Uma história sem título é engodo, é como oferecer um pedaço de osso fingindo haver um pouco de frango. Minha mãe tem pressa: precisa saber se na casa de praia haverá um alpendre, se mais ou menos cimento. Ela tem pressa, e vemos ela avançar aos cálculos como sempre a vimos adiantar-se às últimas páginas dos livros: *Agosto*, *O caso Morel*: era a forma de se acalmar quanto ao futuro da história, ao futuro desta casa.

— Ele estava lá, senhora.
— Ele quem?
A empregada retoma o fio do início: hoje de manhã quando esquecera a blusa. Regressou à casa, subindo pela rua lateral, e deu com o homem aquele a tocar a campainha. Dá-lhe o nome. Minha mãe não entende: "O das botas?", perde-se: "O idiota?". A empregada retoma: voltou à casa pela rua lateral, para pegar a jaqueta, e deu com o tipo a tocar a campainha dela, da empregada. Viera cobrar as dívidas.
— Ah, o agiota?
Sim, esse. O agiota. Era isso: o agiota veio pedir seus juros. De repente a desgraça alheia torna-se própria; minha mãe fareja: essa empregada quer aumento. Quer adianto. Minha mãe nos espanta com as mãos, afinal não são histórias para criança ouvir, a caneta balança afoita entre os dedos, eu e meu irmão nos dispersamos entre a sala de jantar e a cozinha.
— Eu já disse a você... — minha mãe começa. Fala de legislação e vai buscar o livro com a bandeira nacional para ler o artigo quarto da lei número mil quinhentos e vinte e um de dezembro de mil novecentos e cinquenta e um: usura pecuniária. Não era possível aumentar o salário, não era possível adiantar o pagamento, teria de esperar até o fim do mês; mas ficasse sabendo que o injusto, ali, era o agiota, não a patroa.
— Repete, Ludimila: pe-cu-ni-á-ri-a.
A empregada cala-se.
Eu escuto. Repito: pe-cu-á-ria.

Minhas memórias das empregadas: não os nomes, não as idades; apenas: a "das laranjas": descascava laranja sem quebrar a casca, mas tinha todas as unhas quebradas pela cândida; a "do escadão": dizia subir trezentos degraus para chegar à casa dela, sem esgoto nem água corrente, no alto de uma colina; a "assim, assim": adorava meu irmão, dizia também ter um filho "assim", e que aprendera a lidar com isso, mas não especificava o "assim". Apenas: "assim, assim". Morreu atropelada no dia de folga. Minhas memórias das empregadas: suas tragédias.

Em Lisboa, me espera uma chaleira cozendo água velha.

Em Lisboa, na biblioteca; à minha frente, um português evita me olhar. Não gosta. Levanta uma barricada de livros na mesa para cobrir meu rosto diante dele, a desdita de ter-me tão perto. A altura dos livros não chega: sobram restos de rosto pelos lados, um pedaço de testa acima. Eu e a cara da desgraça transbordamos. Ele se incomoda. Devo ter a cabeça grande demais, alguma barba na testa. A barricada oscila e ele se retorce na cadeira. Eu digo em voz alta uma palavra qualquer em língua arcaica, lida no livro em minhas mãos; quero apenas comunicar meu desagravo. Ele abandona seus livros e muda de lugar. Assim evita me ver. Devem ser meus olhos costurados com o horizonte da sobrancelha: na falta de linhas. Os carretéis moram todos na casa de minha mãe.

É com susto que eu. Eu noto. A minha sintaxe postiça, ela se desfaz. Não ontem: depois. Agora. Até ao ponto do fracasso, onde haverá o nada

      onde nada evitará que eu caia, onde a fala é uma palavra, uma palavra é fonema é poema de matéria grito. Envelheço? A sentença aguarda. Escassa. Onde o salto começa.

Porque é inverno, e São Paulo garoa. Cobrimo-nos do cinza de uma manta que estica e alcança o nosso tronco. Estamos deitados, eu e meu irmão. Os pés enrolam-se uns aos outros, temos as meias trocadas. Nossas cabeças opostas olham de lado. Na televisão, Jaspion luta contra Satan Goss. O guerreiro tem de encontrar pedaços da Bíblia Galáctica. Ele não vai só. Ele e Anri, juntos na nave espacial. Ele e a canção para Anri, a letra que diz "nunca vai magoar o meu coração". Nós faremos nossas espadas com os jornais que minha mãe dobra. Quando abrir o tempo, andaremos pelos quintais a matar Satan e seus aliados. Eu canto para meu irmão, ele me devolve a letra de cor, "nunca vai magoar o meu coração".

Menina conversa com o irmão que conversa com ela que conversam com a chuva e os dois garoam baixinho.

À hora certa
entro em casa, à sede outra
dos primatas
dou a volta antevejo:
é a sala
toda aberta em
veias lascas macas.

À volta
sou ela é vala.

Enterrados estão
em mármore e mais pedras
objetos mortos.

Ao entrar em casa, é certo
         é intencionado
                 é indiscutível encontrar minha mãe. Ela está nos tecidos de linho que comprou para a Singer. Ela lhe compra coisas: óleo, carretéis, flanela laranja para limpar o pó da máquina. Ela pensa: para a Singer.
Ao sair de casa, encontro-a nas placas de trânsito que ela sempre ignora, insistente ao trocar os óculos de caixa, os de ver de perto com os de ver de longe, e longe e perto ela nada vê; me

chama pelo retrovisor para eu prestar atenção às placas, eu me embrenho no espaço entre os dois bancos dianteiros e atento às placas, mas são muitas são avenida Aricanduva Faixas 3 e 4, Rodovia Castelo Branco Faixas 1 e 2, Ponte Tatuapé à direita, Parque Anhembi à esquerda, são muitas são todas 90 km/h veículo leve 60 km/h veículo pesado, Praça Panamericana, Utilize o retorno. Ela se equivoca. Peço desculpas pela minha falta. Miopia. Ela se equivoca, mas confia no asfalto: "O asfalto não mente", diz, escondida por trás do som das buzinas.

Alguém que desça correndo as escadas rolantes pela pressa alheia: ao ver o outro correr, também ele corre, também aprende a ter medo de degraus que se movem e daí saltá-los de dois em dois às vezes três daí pisar na faixa amarela sem pedir licença tropeçar nos cadarços os dedos rasantes sobre o corrimão. Cada um imitará um outro. Em pouco eis a multidão que corre. Assim eu fiz: repeti a minha mãe.

Se no início somos nós a correr, eu atrás dela, sua urgência e presságio, bicho inquieto, em algum momento ela para. Eu não soube antecipar a pausa. Talvez porque não fosse descanso, mas derrota. Quando minha mãe se estatelou e não pôde mais correr, sobrou eu. Continuei a imitá-la porque era a única coisa que havia aprendido: correr enquanto há tempo.

Ela cai. Para porque cai. De tanto. Correr. Aperta meus dedos daquela infância que se sabe tarde. Ela deve precisar de algo, como depois eu precisarei: um nódulo, uma falange, um polegar, um osso para dizê-la: humana. A partir desta queda, eu buscarei seus vestígios: serei a depositária de uma busca absurda, uma busca incompleta.

Mas não, no início não há pressa em mim. Há, sim, uma longa tristeza. Que voltará. Outras vezes, voltará. Chove e a vista abstrata é incapaz de discernir as placas de trânsito, os nomes das lojas em letra de forma nos toldos das vitrines. Sem forças para abrir a janela do carro, eu me aclimato no banco traseiro. Minha mãe aproveita o farol e socorre-se do porta-luvas, de onde tira um pano velho. Esfrega o vidro de dentro com mão de para-brisas. Ela pede. Me chama pelo retrovisor, e pede. Eu assinto. Rodo a manivela ao meu lado para descer o vidro. Minha mãe fica satisfeita, assim o vidro da frente deixa de embaçar. A chuva me irriga os olhos, os meus são olhos embaçados da chuva que atirou-se em São Paulo feito uma hecatombe. Em breve passará, deixando atrás de si faróis cegos, árvores sobre a pista e ruas alagadas com sacolas plásticas boiando. Me deixará aqui, míope, nas cicatrizes dos carros que vêm ao meu encontro, cicatrizes que, vermelhas, me atravessam.

É isso que peço: a estria, o relevo. Afasto com pupilas rijas a correnteza até nela abrir o veio com que se faz uma biografia; mas a água mente e é sempre ela, salina, que me veda.

Ela é hoje, e me enterra.

Mãe, deixa-me ver o dia.

A fala truncada de meu irmão. Minha mãe prevê que ele será para sempre e ainda nunca um homem. Acontece também às mulheres, a voz despencar, ela refere baixinho. Voz que alcança o cume e depois cai. Ele tem as meias gastas de andar pela casa, como as minhas; os dedos pequenos nunca serão de pescador, aviador, nunca de pianista. Meu irmão. Ele, de joelhos, empurra um trenzinho. A voz arisca das pessoas o assusta. A sua é a voz rala de algodão. É sexta-feira à tarde e nós dois agora brincamos no quintal. Acaba de chover e vai sair o sol. É sexta-feira e o sol. Os pássaros já se foram, deixaram os bebedouros de plástico nos galhos profundos. Um arco-íris abre os braços. Quando o céu é atravessado assim é porque o mundo inteiro acontece. Arco-íris é a tiara do mundo.

Estou calma e de repente sei que não conseguirei. Aperto a mão contra o peito e não alcanço a vida. Então corro. Eu com o horror encharcando os braços. Meu irmão fica atrás, sem jamais entender dessa pressa que funda o mundo, que se chama vida.

Menina corre porque nunca conheceu a concretude de xícaras e pessoas. Cedo se iniciou nos contrários. O tempo corrói, espanca, abate. Eu andava com ele.

Minha mãe posterga a casa da praia. Reclama da infidelidade dos pedreiros. Pedreiros imitam empregadas e a deixam plantada à porta, esperando. Ela sem qualquer revista para folhear enquanto. Enquanto eles se atrasam, enquanto eles nunca aparecem.

Meu irmão vem me falar. Porque já é verão. Não gosta das tormentas e das horas passadas sem a Eletropaulo. Pede que lhe fale também. Digo coisas, quaisquer: quando voltar a luz vamos ligar o canal 9. Jaspion usará o robô gigante contra o monstro com braço de serradeira. Pergunto também como vai o trabalho da escola. As araucárias, ele me descreve.

Enquanto me fala,
meu irmão e a sua voz rala
de quase se poder juntá-la com as mãos
      sobre a toalha de mesa,
as migalhas
de uma infância que passa veloz. Aqueles seus olhos de medo são os olhos do futuro, alguém que um dia começará a correr, antevendo a rótula a enguiçar, há tanto ainda e nossos joelhos não aguentarão.
— Eu gosto de araucárias.
Digo, por dizer algo. Nunca as vi, a não ser nos desenhos que ele prepara para a aula.

Ele começa a dizer. Vai apanhando as letras que caem no chão. Eu o ajudo a recolhê-las e é assim que as ouço tornarem-se matéria. Compõe a frase: "Eu prefiro rinocerontes".

Então vamos ao quarto. Nosso calendário é uma enorme cartolina sobre a qual colamos doze fios de lã para formar os meses. Os dias não cabem todos ali, são mais de trezentos, nos disseram na escola, mas vamos colorindo cada faixa conforme passam as segundas e terças e sextas-feiras; também desenhamos ou colamos outros habitantes: o selo de uma carta, o bilhete do parque de diversões, uma moeda de pouco valor.

Eu colo o botão que despregou da blusa. Ele nada tem para colar, então apoia o polegar vazio e o pressiona sobre o dia.

Ao meu irmão:
— Posso confiar?
E me lançava para trás, de costas, os olhos fechados. Ele me segurava.

— O Danilo é um chato — ele dirá.
Ou Rodrigo, ou Murilo. Não me lembro. Meu irmão me conta dos colegas e dentro em pouco suas palavras antes truncadas antes geada antes fonoaudióloga agora húmus vão ganhando pés, raiz, dentro em pouco se poderão equilibrar sozinhas. Depois ele emudece. Me olha e emudece.

Minha mãe não está
a empregada não está
eu estou estática. Mas a mobília gira e oscila dentro dos olhos fechados. Meu irmão, docemente, mede a dor e a sabe de cor: as tuas enxaquecas. Entra no quarto, eu deitada. Ele me traz duas batatas. Docemente, com a ingenuidade de quem não sabe descascá-las.

Eu vivo num rés do chão.
Estou rente a essa porta que não vai mais abrir.

— Mas afinal estás a falar de qual casa: da tua ou da casa dos teus pais?
Tanto faz. Qualquer uma. São todas iguais.

Eu e o muro: esta a casa minha.

No sofá da sala estende-se um livro sem título, alguém o terá deixado sozinho ao sair. Estende-se o dia até meus sapatos, então cerro os olhos. Não o deixo entrar. É preciso calma ao acercar-se da vida. Ela, aos montes, mata. Vem me protestar um corpo: ofereço-lhe os nós das mãos. Aos poucos. Persigo outras misérias: embaixo da mesa, o tapete é um mundo avermelhado e vazio na abundância de casa da infância primeira. Da janela, eu vejo um sol paralítico. Não dará conta de atravessar os vidros. Não dará conta, apesar. É infinito. Pareceu-me por vezes uma bomba, mas eis então que. A cortina. Antes, porém: as garras de ferro contra ladrões, gatos, pedras. Ele esbarrará; mais uma perna mutilada, há de cair.

— Mas afinal estás a falar de qual casa: da tua ou da dos teus pais? Não tenho pai. Eu só tenho mãe.

Éramos três.
A mesma cara. Em nós não há qualquer sequela de um pai além do sobrenome pendurado a contragosto. Terá sido por isso. Somos dois meros sinais devastados por vértebras alheias maternas enfermas. Ela, atlântica, inundou todas as valas de nossos rostos. Ninguém me pergunta por ele. Meu pai. Homem inexistente ou que fugiu a tempo.

Ela decide levar homens de São Paulo. Os da praia não dão conta do recado. O dia inteiro a vagar de chinelos lhes terá engendrado um caráter mole de borracha.

— Só prejuízo — ela lamenta.

Mas os pedreiros de São Paulo também chamam-se Zé João Joel Mané.

No céu do quarto os planetas circulam. Júpiter. Saturno com sua aliança de homem velho. Minha mãe colou as figurinhas no teto na ordem errada e extraviou nosso Sistema Solar. Ao lado do Sol está Vênus.
Às estrelas, nomeamos: Mariana, Jéssica, Fernanda. Inventamos: Gisele, Helena, Laura. São muitas. Somos duas crianças. É noite, e meu irmão. Tem medo que um meteoro.
— Você fica metendo desgraças na cabeça do menino — minha mãe me dirá quando ele socorrer-se no quarto dela durante a madrugada.
Agora ele me pergunta onde estão os cometas. O nome de tudo isso.
— São muito rápidos — eu digo.
Ficamos os dois a olhar para cima, à espera de que passe um cometa. Ele tem medo. Enrola-se nos cobertores. Eu antevejo cosmologias: e se em vez de um cometa viesse um meteoro? De repente, e o mundo acaba.
Apalpo o escuro até encontrar seu braço. Quero-o por perto. Ele tem medo. Cada um na sua cama, de mãos dadas. Ele terá dormido quando os dedos se soltarem; vai se embrulhar em novelo, um menino quieto. Eu seguirei acordada.

O nome de tudo isso é mundo.

Chegará o dia em que meu irmão dormirá virado à parede. Ele está crescendo. Os astros fingindo dar voltas no céu do quarto e ele sequer os vê; tem calor, despede-se dos cobertores que por anos lhe ataram ao peito como esparadrapos. Vai se livrar, arrancá-los de uma vez: as dobras das cobertas descambam sobre o carpete. Ele não se importará com a desordem deixada na pele. Um único gesto e basta. Arde. Não haverá mais trenzinhos, os meteoros mudarão de órbita. A infância é hábil e precipita-se. Esse, que será o primeiro delírio de um homem, deixará o rastro das coisas nascidas pelo arrebatamento. Eu o chamarei, cutucando suas costas.

— Você está acordado?

Meu irmão reclama. Que eu o deixasse dormir.

O pé-direito cederá.

Minha mãe manda-me pôr roupa. Pergunta: se eu não tenho vergonha na cara.

— Fica atiçando assim o menino.

Estou de short, a roupa que ela me deu no ano anterior. Não há desculpa: ficou pequena. Já era hora. Um short não é coisa para se levar igual, toda a vida, minha mãe diz. Roupas encurtam. Revejo as meninas da escola, todas levam shorts iguais aos meus. Concluo que nenhuma tem vergonha na cara. Prevejo: as meias, os cadarços — tudo encurtará. Uma rua que, em vez de se alongar e nos levar à escola, vai encolhendo e nos devolve à casa, de onde não sairei.

Os homens de São Paulo também se mostram de pouca confiança. Ela os deixa por quinze dias em Ubatuba, em duas barracas, com um fogareiro, latas de sardinha e bananas. Ao voltar, os encontra na mesma posição em que os havia deixado. Sem sardinhas nem bananas. Terá de contratar novos homens. Ela dá explicações: preguiçosos. Nortistas. Não nasceram em São Paulo. Se fossem paulistas da gema não fariam isso.

É domingo e uma campainha precoce. Minha mãe, ainda de roupão, os cabelos intratáveis, atravessa ligeiro a sala para acu-

dir à porta. Pensa ser alguma desgraça. Até se acostumar. Eu vou atrás para saber quem é. Resulta dizerem atrás do portão:
— Bom dia, a senhora tem um minutinho?
Com o tempo, ela aprenderia: não, não tem. Enquanto isso, ela se deixa enganar. Aproxima-se. Eu fico na entrada. Ela leva a mão à chave, desce os quatro degraus até a garagem e, enquanto abre o cadeado, investiga os folhetos nas mãos daquelas duas mulheres, uma jovem, outra nem tanto; logo ela empurra de leve o portão, já está com o pé na calçada e as mulheres adiantam-se:
— Viemos trazer a palavra de Deus.
Da próxima vez, ela não se deixará apanhar. Rápido conhecerá esta espécie de desgraça maior, pois continuada, dominical, atormentando a campainha no dia de descanso, não se pode nem mais desfrutar do jardim de inverno porque. As testemunhas de Jeová podem passar a qualquer momento e nos apanharão. Aprenderemos com minha mãe a olhar pelo canto da janela da sala, às escondidas, antes de atender à porta; depois ela decidirá colocar cortinas mais espessas, fará a barra à máquina.

Um domingo e a campainha tão cedo. As duas mulheres que chamaram à porta ainda não eram, como anos mais tarde, mulheres de saias compridas e Bíblia na mão. Nada vieram testemunhar. Eram duas mulheres e uma caixa. Mostraram-na. Disseram que não era justo. Estava errado. Não se podia deixar uns filhotes daqueles sós, recém-nascidos, na rua. Judiação. Disseram. Ruindade. Disseram. Misericórdia.
Minha mãe foi logo dizendo: "Não gostamos", foi logo dizendo, mas refez o trajeto: "Não podemos, desculpe".
Ela é surpreendida por nossas vozes. Viemos espreitar as vizinhas. Meu irmão pede para ver a caixa. Eu peço para ver a caixa. As mulheres entram na garagem, mostram-nos a caixa. Pequenos corpos amontoam-se, peludos.
Ai, que fofo
    Deixa, mamãe
        Esse aqui é meu
        Não, é meu

            Eu falei primeiro

— Posso perguntar no meu trabalho se alguém quer... — minha mãe diz às mulheres.
Elas apressam-se; é domingo e têm de bater à porta de todos os vizinhos oferecendo os filhotes. Em pouco tempo todos os cachorrinhos terão seus donos, elas dizem. Minha mãe

promete pensar e agradece; enquanto tenta se despedir, cada um de nós já tem seu filhote nas mãos. Minha mãe pede-nos que lhes devolvamos:
Por favor, mamãe Deixa, vai Olha que fofo ele é Todo mundo tem, menos eu
Minha mãe desespera-se: — Eles fazem muita sujeira.
— A gente limpa — eu digo.
Ela segura o cadeado do portão; leva a mão à cintura: — Só um. Decidam.
    O meu
        Não, o meu
           Eu falei primeiro   Não, falei eu

              Mamãe, eu não falei primeiro?
— Falou, filho.

Está decidido: meu irmão ficará com o cachorro preto com manchas beges nas patas traseiras.
Já dentro de casa, peço para dividir o cachorro. Também quero ser sua dona. Meu irmão não deixa.
Reclamo. Peço minha parte.
— Isso não é um bolo — minha mãe intervém.
Estou inconsolável.
Ela diz que será dos dois. Meu irmão reclama. Ela diz que será só dele, mas que ele me deixará brincar também.
— Não é, filho?
Ele não responde.

Ela veda com jornais as laterais das nossas janelas, tanto cuidado, apesar da cortina pode ser que um vento entre à noite, mesmo sem nos faltar dinheiro ela veda os cantos das janelas do mesmo modo que as empregadas em suas casas, ela desfaz o jornal de domingo e dobra as notícias de economia, cultura, política, até formar os longos bastões de papel que durante o dia servirão aos filhos de brinquedos, com tanto amor ela se põe a fiar nossas espadas, é noite e em vez de costurar ela dobra papéis, nos protege do frio, do vento entalado nas frestas das janelas; ao cuidar-nos ela forma seu quartel. De dia correremos pelo quintal e com nossas espadas golpearemos o ar, as armas aos poucos amolecem como flores vozes luzes, e teremos de dobrar outros jornais, com o cuidado de separar o caderno de imóveis, ela fia ela forma a lua ela inventa minha solidão e a tua, ela minha mãe.

Mãe, por que meu cabelo é assim?
Assim como, menina?
Assim, mãe.
Assim estranho, assim todo crespo?

Tenho fome. Peço:
— Quero a coxa.
Minha mãe me oferece a asa. Reclamo. Ela reclama.
Ao lado, meu irmão dá garfadas lentas. Ele ficou com a coxa.
Dividimos um gibi sobre a história de um astronauta. Ele quer virar a página, eu peço que espere. Enquanto leio, vou mastigando a asa do frango. Enfim, a leitura acaba.

— Não teve graça — digo, decepcionada.
Viro-me para minha mãe, à frente, e mostro o prato. Mais frango. Ela elogiará meu apetite, se o mundo fosse assim não haveria mais galinhas nas granjas. Eu não sei o que são granjas; não as conheço e ainda tenho fome, eu quero mais, a boca engordurada, eu peço a coxa, mamãe, a coxa que sobrou, estico meu prato com os dedos engordurados, por favor, me sirva, mas ela me interdita: é para a janta; vai fechando a panela de alumínio e a leva à cozinha. Sobra apenas o protetor retangular de madeira sobre a toalha. Eu limpo minhas mãos, minha boca. Meu irmão sabe da minha fome. Coloca seu último pedaço de frango em meu prato. Estamos os dois a ler a piada de três quadrinhos na última página do gibi. Rimos. Depois fechamos o gibi.

— Essa foi boa — eu digo.

Ao voltar, minha mãe olha para a minha mão.

— Que foi? — eu pergunto.

Ela nada diz, mas olha a minha mão.

Minha mão descansa sobre a dele.

Em breve, a fome também crescerá em meu irmão, fazendo míngua de mim, a minha língua encurtará à medida da sua mandíbula agora tão grande.

Grey, o cachorro, corre atrás de nós. Não sei quem lhe terá dado esse nome. Ele é um pequeno ponto preto e bege entre pernas de gente, agora tão longas. Sobrevoamos seu lombo, somos gigantes, seremos o arame desta cidade São Paulo. No piso fincamos nossas pernas, arcadas de uma casa que se move. Movemo-nos. Pisamos em xixi e rimos dos vermes amarelos que saem do rabo do cachorro, saem e volteiam no chão, parecidos a macarrões. "Ele caga macarrão!", apontamos. Tomo Grey nas mãos e o levo. Meu irmão vem atrás:

— Devolve.

Coloca-o na caixa de papelão, forrada de jornais, que lhe serve de casa.

Chamo meu irmão desde a porta:
— Vamos ver televisão?
Havia filmes: *História sem fim*.
Ele não responde.
Estamos crescendo.
Minha mãe chamará a empregada:
— Filô, cadê a escumadeira?
Filô não responde.
Eu respondo: — A Filô já foi embora.
— Mas não deu nem seis horas!
Minha mãe chama meu irmão:
— O lanche está na mesa.
Eu chamo meu irmão:
— Vai começar.
Séries na televisão: Jaspion, Jiraiya.
Minha mãe chama meu irmão:
— Vem ou não vem?
Eu chamo meu irmão:
— Hoje vai ter reprise do último episódio.
Minha mãe chama meu irmão:
— Vai esfriar.
Meu irmão não responde. Grey não responde. Meu irmão brinca com Grey, que se pendura nele no quintal. Os dois correm entre bananeira, raquete, canelas.

Minha mãe decide nos mudar de lugar na mesa:
— Você agora se senta aqui.
Reclamo. Ela vem com explicações:
   o sol não bate de: frente
   aquela cadeira está: bamba
   no meu antigo lugar ficarão umas: revistas
      a sala de jantar precisa de: um novo arranjo
   : é uma disposição melhor para as panelas.

É ela que agora se senta ao lado do meu irmão.

Ao meu lado instala-se um acervo de revistas de arquitetura. Algumas estão rabiscadas; outras, com as orelhas moídas pelo virar incessante de páginas, exigem que se lhes coloque peso em cima para corrigir a má postura. Umas sobre as outras, elas clamam mais espaço, me atravancam. Acabarão por me expulsar da mesa.

— Assim você não abre os cotovelos.

É verdade. Se abri-los muito, imitando as galinhas, eles trombarão na coluna de revistas.

Minha mãe cuida que eu não coma feito um animal: mantenha os braços junto ao tronco, mastigue de boca fechada, use guardanapo. Cuida também de outras coisas:
que não sujemos as meias andando descalços
que a lareira não acumule pó
que os bebedouros de plástico no quintal estejam sempre cheios de água e açúcar.
Sobretudo, cuida de erguer uma outra casa. Ela quer uma casa de praia. Enquanto ainda a hipoteca em São Paulo, enquanto os homens das obras roubando material de construção em Ubatuba, sua casa de praia será um lote com um punhado de erva daninha junto de tijolos, ao modo de cruz, Santa, Vera Cruz, Terra do Brasil.

Minha mãe está de viagem, inspecionando as obras em Ubatuba. Decide que um terreiro de obras não é espaço para os filhos. Nós dois ficamos em São Paulo. Temos sono. A empregada dorme no sofá da sala; aproveitou a ausência da patroa para assistir televisão, mas o programa acabou e ela tem preguiça de meter-se em seu cubículo nos fundos. Antigamente, elas dormiam sempre em casa. Depois começaram a chegar de manhã. Agora, dormem só de vez em quando. Agora, silêncio. Eu e meu irmão temos sono. Ou terá sido o medo, apenas. À noite a casa fala o idioma dos móveis: a língua de madeira estala no palato. Cada estalo simula a chegada de um meteoro. É agora. Agora ele vem e acaba com o mundo. Mas o mundo é grande demais. Eu conjecturo: aqueles barulhos serão de um espírito a errar pela casa, trombando nas estantes.
— Você tá acordada? — ele me pergunta.
Sim, eu estava. Levanto e juntamos nossas camas até soldar o vazio.

Na volta, minha mãe pede-nos explicações. A empregada quem lhe havia dito. Ela mesma viu.
— E daí? Ele estava com medo do escuro — eu respondo.
Minha mãe diz que não podia ser. Assim era demais. Que eu ligasse o abajur. Deixasse a luz do corredor acesa, a porta do banheiro aberta.
— Você fica metendo desgraça na cabeça do teu irmão — ela me acusa. — Depois dá nisso.
O "nisso" quer dizer um menino de onze anos que ainda faz xixi na cama e dorme abraçado com a irmã.
— Mas eu também tenho medo — digo.
— Do quê?
— Do Allan Kardec.

Os centros espíritas sempre foram onde terças-feiras ao fim do dia ou sábados de manhã. Nunca demasiado longe:
— Falta muito?
Ela nos respondia: — Já chegamos.
"Já chegamos" queria dizer: ainda falta esperar seis faróis entre a Rua da Casa Verde e a Vila Guilherme, ultrapassar o caminhão e a moto, passar por uma placa sem prestar atenção, enganar-se e utilizar o retorno. Encontrar uma vaga para estacionar longe da Zona Azul e longe dos homens de chinelo que guardam carros a custo de alguns trocados. Por isso: atrás das árvores, fora de vista.
Assim como as empregadas e as casas em exposição, os centros espíritas também caducavam, substituindo-se uns aos outros. Não é que desapareciam: nós é que lá já não voltávamos. Explicações: aquele era muito longe, ou muito perto, ou fora de mão, ou sem lugar para estacionar, ou ouvi dizer que há outro no Cambuci onde conseguem ver até a cor da aura.
— Da aura? — perguntei, incrédula.
Sim, com uma mirada o médium podia ver a aura de qualquer pessoa.
Fomos lá uma vez. A fila era grande, chovia e tivemos de nos abrigar debaixo do toldo de uma loja de sapatos até que pudéssemos entrar. Comíamos chocolate. O médium era um homem de barba e sem óculos. Na época achava que barbas exigissem óculos. Ao chegar minha vez, postei-me diante do médium, sorrindo. Como se posasse para uma fotografia. O médium mal

me olhava. Em tudo diferente dos fotógrafos do bairro, onde íamos duas vezes por ano encomendar as fotos 3x4. Aqueles, ajeitando-nos o queixo e pedindo-nos para ficarmos parados, corriam para nos fitar de trás do tripé. Saíam apenas para nos dar bronca: "Não se mexe", "Levanta mais a cabeça". Mas ao médium parecia indiferente minha postura. Ele olhava ao redor de mim, olhava para onde meu corpo acabava. Terminada sua tarefa tão breve, colocou a folha rabiscada de lado e abaixou a cabeça, ensimesmado. Uma mulher escreveu meu nome na margem do papel e nos estendeu a folha.

Minha mãe ficou inquieta, comparando os três desenhos. Ela os tinha em mãos. Não quis tomar o passe espírita no final. De repente, disse que era hora, precisava ainda passar na farmácia, ou na padaria, ou no mercado, ou. Já não regressamos mais.

Ela não disse: "Tua aura é esverdeada"; ela não disse: "Não é bom sinal"; ela sequer disse: "A boa aura é dourada". Nada disse e, não dizendo, eu entendi. Verde: a cor da fachada de casa.

Vejo-a empilhar. As caixas dos nossos jogos. Dados, pesca, dominós. Uma coleção de rinocerontes em metal. Abre as gavetas e as deixa indefesas ao frio, obscenas. Chama a empregada. A empregada abandona as panelas e sobe ao quarto. Vai separando as roupas. Estão todas trocadas. Porque eu visto as camisetas dele; ele, as minhas. Nossas vidas são tampas incorretas que encaixam mal às respectivas caixas. As meias, misturadas, a empregada terá de abri-las uma a uma para buscar o par certo. Tarefa impossível. Pergunta à patroa: "Da menina ou do menino?". "Do menino". "E esta: do menino ou da menina?". "Da menina, ué, não está vendo que é rosa?". A empregada ensaca as calças, bermudas, cuecas.

Minha mãe desfaz a cama. Retira os lençóis pelas bordas de elástico que engancham ao colchão. Embrulha-os e depois os joga num canto do quarto. Sobra o colchão. Levanta-o como a um doente, amparando seu peso de molas e suas marcas de xixi. Os braços alargados abarcam o retângulo verticalmente. É um abraço cínico, o dela: segura-o contra o peito e vai andando de costas à saída do quarto. Quer sair dali.

Ela empilha a roupa de cama junto do travesseiro. Empilha a tristeza e lamenta não ter pensado nisso antes. Colado com fita adesiva na parede, há o calendário com o nome das estações. Minha mãe retorna, aproxima-se. Pede à empregada para arrancá-lo.

— Seu irmão precisa dele mais que você — minha mãe me diz. A empregada assente. Faz tudo com cuidado, mas não há maneira, e junto com os meses dos anos vão lascas de tinta. Está quase pronto. Só falta a cama. As patas tentam segurar-se no chão enquanto a empregada as arrasta, "Se não fosse o carpete", minha mãe diz, "o piso estaria agora todo estragado". Ela aponta para baixo, contente. Eu embruteço. Não sabia, então. Soube depois: se não fosse o carpete, as garras queimariam o chão e me teria sido possível, após todos esses anos, refazer o percurso de um nome.

O quarto de meu irmão é agora ao lado, na antiga sala de tevê, e aqui, onde sua cama, há uma mesa de estudo com vistas para a parede. Minha mãe cola a fotografia de uma palmeira nesse meu novo quarto solitário:
— Assim você também não fica pensando em besteiras.
As portas dos armários me estendem os braços. Não as acudo. A esmo, percorro o cubo onde habito, e que não é mágico nem é plástico: meu quarto. O buraco deixado pelo calendário alarga o vazio da parede, e as marcas da tinta arrancada lhe dão formas várias que a insônia ata à alvenaria: o aro solitário de uma bicicleta, alguém que não soube se equilibrar; um carretel por dentro, um carretel que inflama e já é túnel. O mais frequente, porém, é ser o olho de um vulcão. Quando seu olho eclodir, será tamanha a barbárie que o céu ficará tingido dessa cor pastosa do magma; por um instante a tosse é vermelha mas logo o fumo e as cinzas, a lava a se arrastar pela alvenaria. Não havia como prever o caminho do fogo.

Em Lisboa, o vulcão também romperá sem alardes, por dentro, estendendo-se desde o teto do banheiro. Lisboa é Pompeia. Eu acompanharei de perto o avanço, é janeiro e as pegadas do inverno colorem as esquinas do reboco. Logo virão ao quarto, tateando as paredes no escuro, eu maldirei seus bolores, oito mil quilômetros de distância e o mesmo teto de zinco; primeiro, a tosse vermelha de uma garganta inflamada que o sol, veja, ele alucina antes do tombo; depois já é noite; eu maldigo esse teto baixo de rés do chão; acima, tão cedo o ruído de um vizinho desperto, eu refaço seus passos: está no banheiro, dá descarga, os canos acordam, abre o chuveiro, vai à cozinha para um café curto. Mora sozinho: a linha melódica é uma e sem improviso. Veste-se. Talvez hesite entre um sobretudo e outro, ou talvez apenas se deixe abater por mais um dia. Sai retilíneo, deixando atrás uma porta que bate.

Levanto-me de um sono bambo. Vou ao banheiro. Dou descarga. À cozinha. Um café longo. Aqui não há filtros de pano então eu. Cafeteira italiana. Sequer porei a mesa porque: não compensa. Tomo-o em pé, apoiada numa pilastra por onde deve passar algum cano ou fiação. Visto-me. Deixo que o dia me abata como eu a ele. Visto-me e espero vir o sono.

Será meio-dia quando concluo: é preciso. Quero o baque da porta atrás de mim, uma e outra vez, a força de quem toma a rédea e a torce, vamos em frente, basta alguma coragem e a porta se abre. Basta uma chave na fechadura de seis cilindros para o dia lá fora.

— Seu irmão quem pediu.
Eu quero saber os motivos.
— Porque sim — ela responde. — Não dava mais.
Discordo. Ele não podia ter dito isso. Que não dava mais. Ele não sabia dizer essas coisas.
— Como não sabe?
Dou as nuances. Às vezes se expressa mal, a frase do avesso. Ela minha mãe terá entendido tudo ao contrário.
Ela agora discorda: — Imagine, ele disse com todas as letras. Continua a folhear a revista e a pensar na sua casa de praia.
Avanço: — Para mim ele disse que queria ficar — aumentei o tom — ... e que foi você quem decidiu mudar ele de quarto.
— Ele te disse isso?
Faço que sim com a cabeça.
— Mas se você mesma disse que ele diz tudo ao contrário.

Sentada na ponta da mesa, ao lado de revistas
(edição 23 : edição 71 : agosto : edição especial : aprenda a
decorar varandas)
amasso o arroz com o garfo. Os grãos perfuram as gretas do talher. Atravessam-no. Do outro lado do garfo os grãos acumulam-se, brancos e murchos. Amasso-os. Amasso-os, mas não os como.

Minha mãe chama isso de brincar com a comida. Eu o chamo: raiva. Apenas me deixará levantar quando eu tiver comido. Limpo o garfo na borda do prato. Escolho enfim o último pedaço de frango entre o arroz e o tomate, engulo-o. Deixo o resto e volto a amassar o arroz. Ela, então, pega de dentro da panela uma coxa de frango com a colher, e me mostra.

— Não quer mais?

Não, não queria. A fome passara. Nada disse, contudo. Havia sobrado somente um pouco de tomate e aqueles grãos que amasso com tédio e raiva, essa vontade de levantar-me e ir para o meu quarto, um quarto agora vazio, com a fotografia de uma palmeira em frente à mesa de estudos. Palmeira que convida, mas cuja oferta é inalcançável. Meu irmão no quarto ao lado.

Meu rosto desabará como as paredes desta casa.

Minha mãe folheia a revista de arquitetura: — Um balcão na cozinha não iria nada mal.
— O que mais ele te disse, mamãe?
— É de bom gosto.
Eu a cutuco no ombro. Insisto. Quero saber. Ela prossegue:
— Vou falar ao Zé que me faça uma cozinha americana. Como nos filmes.
— O que foi que ele te disse?
— O problema é que o cheiro da cozinha empesteia toda a casa — ela levanta a revista à altura dos olhos: — Se alguém fritar bacon, então, estaremos perdidos.
Movo a palma da mão diante de seus olhos, borrando a leitura: — Mamãe.
Ela responde, sem me olhar: — Fala.
— O que mais ele te disse?
Ela hesita entre duas páginas; vira a folha, retorna. Alisa a revista aberta sobre o colo. Deixa-a por fim na mesa de centro: — Nada.
— Nada o quê? — eu pergunto.
— Ele não disse mais nada.
Minha mãe estende a mão e pega uma sacola de supermercado em cima do sofá. Desfaz o nó. Debruça-se sobre ela, segurando-a pelas alças. Espreita. Como se escolhesse as melhores batatas, enfia a mão e revira o que há dentro. São roupas. Retira de dentro uma calça jeans vermelha. Põe a sacola de lado. Levanta-se.

Desenrola a peça e, com os dedos em pinça, segura o pano. Vira a calça de costas, examina os bolsos traseiros. Depois traz a peça para junto de si, justapondo-a diante das próprias pernas, e por um momento é como se tivesse as pernas vermelhas no lugar do longo vestido. Mede-se do alto, descrente da sua beleza de mulher que chegou quase aos quarenta anos. Vira a calça de ponta-cabeça, enquanto as pernas de pano se agitam, desobedientes. Minha mãe enfim joga a calça para trás do ombro direito, como uma toalha ao fim do combate. Põe-se à máquina de costura. Há anos ela finge costurar e há anos a vemos desistir da costura. Arremeda buracos em roupas, botões, depois reclama da Singer. Agora pressiona o pedal. "Merda", ela diz. Estava emperrada de novo. Ela explica que meu irmão precisava de mais espaço para estudar. Só isso. O trabalho sobre as araucárias, ou urticárias, ou braquiárias.

— Até parece uma escola de botânica — ela diz, rindo.

Eu não entendo. Não precisava tê-lo mudado de quarto. Ele bem poderia desenhar na minha mesa, havia lugar para nós dois.
— Não tem espaço.
Discordo. Era grande o quarto. Eu podia retirar meus cadernos de cima da mesa, os livros de Ciências, inclusive o estojo. Eu podia estudar sobre a cama para ceder a ele a mesa inteira. Ela troca os carretéis. Um deles cai. Pede que eu vá buscá-lo; rolou debaixo da estante. Eu vou. Agacho-me, os braços flexionados e o rosto colado ao chão. Alcanço-o.
Minha mãe retoma:
— Além disso...

Detenho-me com o carretel na mão, enquanto a ouço dizer:
— ...você já é uma mocinha.

Ela pega o carretel da minha mão e o arremata na Singer.

Má costureira, minha mãe deixa de propósito uma linha solta no ar, balançando no carretel, para que eu a persiga e saiba remontar ao ponto onde tudo começa.

Se eu tivesse ficado, por céus. O sol teria se contraído e anunciaria o mandado de despejo. Com facilidade ganharia terreno. Sem demora o digo: teria cagado sobre mim, sobre São Paulo. O sol desta cidade é um ânus vermelho. Não me seria possível oferecer resistência, os meus são braços que ainda vestem pijamas: desaprendidos de armas, o único gesto talvez seja: implorar: deixa-me partir.

se eu tivesse saído. a tempo. de casa. já cá não estava, e um novo léxico se teria trepado sobre meus ombros. com razão maldiria seu peso: agora não falo como antes. com alívio constataria: agora não falo como antes. terei perdido o fio da meada ao postergar a saída, o dia em que. lá fora há ruas e calçadas e pessoas que se trombam nas bichas nas filas. onde foi parar o trem que me resgataria? onde meu bilhete? os trilhos, por que carcomidos?

Mãe vai olhar o quintal, um emaranhado de flores: as flores das árvores e aquelas pintadas no vestido dela, um vestido longo que arrasta consigo a poeira. As flores oscilam com o vento, as flores das árvores e as do tecido. Só as flores de plástico não balançam nos galhos. Nenhum pássaro. Já faz semanas e nada. Terão emigrado.
— O que fizeram com as minhas flores?

Minha mãe rumina respostas.
Pensa: Deve ser. Deve ter sido. Se não foi, logo logo será.
Será Ludimila Tarcila Emília Pompilha.
— O que ela fez com as minhas flores, os meus pássaros?
Ela chama de flores os bebedouros. Recolhe-os todos. Na cozinha, escolhe um. Vira-o de boca para baixo. Abre-o. Quer examinar a gosma que se deposita no fundo do plástico. É açúcar. Com uma colher de sobremesa, revolve a mistura. Será açúcar?

Ela acode com pressa à lavanderia, mostra o bebedouro à empregada.
— O que andou fazendo com as minhas flores?

Água e sal, sal, sal.

IV.

Leste é onde o sol nasce,

                    lado
          oposto
lua desce

Oeste é ode ao sol posto.

Nada mais fica quando o rosto que a lua
enxágua
na pia de um lavabo escuro
verte no assoalho e eu
          eu penso: estrelas são.

É para lá. É para lá que o sol morre.

No dia em que o sol confundiu-se de posto, fui achar o dia morto logo de manhã. O cachorro tombado dentro da caixa de papelão, não se levantará mais, a caixa junto à parede da sala, a leste, uma caixa boquiaberta, sem tampa, alguém chacoalha a caixa e Grey ali, junto ao xixi nos jornais. Minha mãe foi a primeira a gritar. A primeira que viu. Seus cabelos arranhando as costas do vestido, ela agacha-se e nesta altura. A primeira a levar a mão à boca. A primeira a saber. Eu a vejo de costas. A seguir, vem meu irmão. Ele sem entender nada, mas eu saberia, eu depois soube pela maneira com que minha mãe e os pés escondidos dentro do vestido, ela agacha-se e pende à frente, os cabelos acompanham seu balanço, o vestido enfim encobre-lhe os pés, nesta altura ela pende à frente mas não, não encosta em Grey. Como se já soubesse. Encosta na caixa. Como se da morte tivesse: nojo conluio culpa.
Mas ao princípio não reparei.
O início do mundo é para além dos olhos fechados.

Está no corpo: o início do mundo
    mas eu sem tato
        então ouço: um atraso,

        esse segundo aberto   en tre ato   hiato

De manhã, a leste, ao aproximar-se da caixa, agachar-se,
pender à frente
minha mãe descobre a morte e ainda espera, e é esse bocado
de espera
— chamado: atraso —
entre a descoberta do maldito e o alarido, entre que percebe
e decide
o atraso de seu grito: pensamento: escolha
entre que percebe e decide gritar
aí eu soube da emboscada.

Foi ela. Foi ela.

A cena a seguir sei de cor: perguntarão por quê. Sem elipses nem rodeios. Por que fiz aquilo?
Não fui eu. Eu não matei Grey. Mas minha mãe, que de jovem jurava ter visto o Silvio Santos a pedir esmola no farol, passará toda a vida empunhando suas próprias versões. Com o dedo indicador, me acusará. Ela usa expressões: se manca; eu não nasci ontem; você vai ter que entrar na linha; nem que a vaca tussa; você gosta de interpretar, de se fazer de vítima.
Adianto-me, em linguagem inadimplente, falo do impossível da pessoa que sou fazer o que ela gostaria que eu tivesse feito, mas minha fala trunca e o que sai dela já sai quebrado. Presto socorro, meu irmão e seu choro têm o ruído fino da chuva contra a vidraça, vou ao seu encontro e digo: "Foi ela, foi a mamãe". Ele me empurra.

Eu não tenho gestos. Como poderia ter matado o cachorro dele? Ela, ciumenta, foi ela, ela que nunca gostou de cães. Eu ainda não tinha mãos suficientes para tais crimes. O meu crime é maior: perseguir a desembocadura de um nome. Gestos, eu não os tinha. O polegar sem funcionamento. Percorro falanges alheias, as mãos das gentes e, podendo, teria deixado apenas meu braço na estampa do bilhete de identidade. Um braço que incluísse toda a força de um passageiro que levanta e, malas a postos, entra no vagão que lhe cabe. À falta de um braço que erguesse mesmo para chamar um ônibus, um táxi, um garçom, à falta de alguém a quem o braço esticasse, abordasse a modo de baile — é você? —, longa veia de curvas duras, à falta de um dedo que compusesse uma coreografia com o polegar, sobrou meu rosto: espanto. Se o encontrarem serão incapazes de ajustá-lo à pessoa. Suponha, enterrado em algum cesto de lixo, junto a demais documentos. Terão de buscar o nome, a ordem alfabética, perguntar pelos responsáveis, "Onde estão seus pais?" e eu direi "Estão mortos", como o fiz à diretora da escola. Para despistá-la, para brindar minhas tragédias. Sei de minha dor pior: vivo a loucura de não poder mentir, mentindo.

Menina é como certos bichos que se escondem na folhagem, parecidos que são ao mundo em volta; outro dia alguém lhe ensinou o nome de um deles: bicho-folha.

Minha coleção torna-se um museu doméstico. Preciso ir atrás dessa dor que ao modo de explicação me desculpa. É do que se trata catalogar objetos.

Eu copiava caligrafias. À falta de gestos. Foi isso. Cresci copista, essa tentativa de civilização. Minhas mãos fechavam a muito custo, agarrar o lápis é tão difícil quanto. É mais. Que prosseguir. Copiei mais que frases. Fraudei as letras. Das pessoas ao lado, sentadas às carteiras de onde borrachas e apontadores. De professoras que com canetas vermelhas parabenizaram análises sintáticas. Fábrica de curvas nítidas sobre a folha almaço. Fui sempre outra e jamais pude suceder-me a mim. Abrevio: sou um não estar aqui.

Ocorre-me ter um buraco, dos grandes, alguém cai não sobe mais. As paredes sem saídas nem frestas. Ele é quem fez minhas as perguntas. Ele, o buraco, conduziu o caminho primeiro, foi ele quem olhou para cima da primeira vez. Muitas vezes aconselharam-me: disciplina, os pés assentes no chão, um emprego. Tentei. Eu tento. Disciplina, pés, um emprego. Eu tento e São Paulo, onde já sem casas onde somente interfones. Aclimato-me aos interfones, esse modo particular de vida.

Foram muitas as vezes em que toquei interfones e foram todas as vezes a ouvir a voz do outro lado, lá onde o mundo com seus horários. A voz sempre de um homem e sempre a me impedir. Toco mais uma vez, ninguém responde, eu apelo, deixo recado com o porteiro, sempre um homem e sempre detrás de uma cabine de vidro. Sempre de vidro, mas nunca transparente. Anoitecidas, às vezes blindadas. "Desculpe, moça, o portão enguiçou"; "Desculpe, moça, não tem ninguém com esse nome". Eu tento. "Desculpe, moça, não posso te deixar entrar". Eu tento. "Desculpe, moça, é só para moradores". Eu suplico a outro interfone. "Desculpe, moça, é só para funcionários". Eu explico: não quero enlouquecer. Preciso entrar no mundo. Dá-me outro emprego que não copiar o genitor. Uma mãe é manancial demais. Procuro oportunidade em estande de vendas. Serviço de mesa, secretariado executivo, analista de riscos. Apresento-me: focada em resultados, facilidade em lidar com situações de pressão, adaptação a todos os ambientes de trabalho: com ou sem janela, ventilador ou ar-condicionado, tapete ou piso frio; habilidades em conceber, planejar, organizar e realizar quaisquer incumbências dentro do prazo, motivação, bom relacionamento interpessoal intergaláctico interdentário, aceitação de carga horária maior que a contratual, pessoa física ou jurídica, desconhecimento total da legislação trabalhista e de qualquer advogado da área, habilidade inata para atingir todas as metas, espírito de liderança, espírito de equipe, espírito inovador, tanto espírito e contudo um corpo fraco, desempenho não condicionado ao humor ou bem-estar, capacidade de perseverança perante dificuldades, gestão de conflitos armados ou desarmados em nível local, nacional e planetário, alinhamento aos valores da empresa, proficiência em idiomas falados ou gesticulados e em ferramentas digitais, analógicas e hermafroditas, envio de mensagens por correio, por e-mail, por sms, por navio, por ônibus fretado, pelo vizinho e pela mesma, gritando ou sussurrando, mais de mil amigos eletrônicos a mais de oito mil quilômetros da infância, pessoa do sexo feminino mas sem dar nas vistas: trabalha como homem, alta produtividade, sem queixas de cólica menstrual, sem filhos, sem gosto por crianças, aborto prévio devidamente concluído, sem planos de gravidez repito sem intenções de licença-maternidade repito sem possibilidade de gestação repito esterilizada, vestimentas conforme plano de negócios da empresa, discreta por norma, mas com disponibilidade de decotes para captação de clientes; pontualidade sob qualquer situação meteorológica, geológica e urbanística, sem necessidade de descanso semanal, sem problemas de saúde, sem problemas financeiros, com alguns problemas familiares mas sem prejuízo da eficácia no trabalho, aptidão para turno matutino, vespertino, noturno ou ininterrupto, sigilo absoluto sobre operações financeiras duvidosas e/ou casos extraconjugais envolvendo a direção da empresa e seus parceiros, aceita pagamento em salário, banco de horas, vale-refeição ou bilhetes para cinema sem acompanhante. Sem experiência prévia mas com garantias de rápida adaptação. Disponibilidade para início imediato.

O porteiro é sempre homem e sempre detrás do seu quadrado de vidro diz qualquer coisa que eu não entendo. Explico: não quero enlouquecer. Vim só deixar meu currículo. Preciso entrar no mundo. Ele se zanga: "Isso não é um supermercado, moça, isso aqui é só um prédio".

O nome disso tudo é mundo.

Ainda imito caligrafias,
eu, tão em falta
sem fala
nem talento, não podia
vogais ou membros do mesmo nome, eu levo em mim vagões
ocos, meus habitantes se foram:
há um corredor civil, franzino. mundo. quem entra não volta.
todos eles entraram. eu fiz fila, pedi senha, um número, sessenta e quatro, vinte e dois, trezentos e quatorze, falei através do vidro: "um bilhete", ofereci dinheiro em troca, mas a mulher não ouve, o guichê aberto e a funcionária em serviço lendo revista.
sem gesto nem qualquer evidência de um corpo, eu lamento o ocorrido, acudo sem bilhete, correndo à plataforma de onde nunca um trem: eis somente o metrô, a cara escura da cidade, gruta fundo cova. ao saber, desde cedo, que eu jamais sairia de casa, o mais próximo da vida seria dentro
da cabine do metrô,
onde: tênue nenhum gesto: é só um cabo: depósito para mãos
todos erguem as suas, a salvo estão
deposito-me ali, mas
aço, não madeira ou lactância. o fio que estica
é cadarço de metal. apoio de mãos. não rima. não dobra. eu quero entrar mesmo assim, a fila é longa, aperta-me, primatas lado a lado disputam fatias químicas, eu insisto, é urgente. deixem-me entrar na vida. aceito seus termos. sempre disse-

ram que viver é difícil. aceito. sobra uma tira, eu vou, ergo-me
à altura do cabo: mas tenho mãos sem apego algum; acuso
a superfície fria do metal de injusta; mesmo assim, eu luto.

Ocorre: sou antes
de um primata, pois não seguro
                        cordas nem copos
o polegar não funciona com o indicador:
a mão recusa-se.

Minha mãe empenhara-se demais: em devorar o filho em levantar uma casa na praia em instalar uma porta. Tinha de ser uma porta de vidro. Não servia: de madeira, de alumínio. Tinha de derrubar parede, tinha de ser uma porta e tanto. Um postal, uma porta-paisagem. A casa, enfim, escancarou-se ao quintal. Eu deveria ter aproveitado. Teria sido o grande momento aquele: quando a parede tombou. Correr, correr para nunca mais. Mas a poeira da demolição enredou-se na vista e não era terra de quintal, era coisa morta: pó de parede. Os joelhos e a vista enguiçados. Foi por pouco. Se meus joelhos, se não houvesse tanto pó tanta lasca de tijolo velho entupindo a vista. Teria sido provável que eu: corresse.

A porta tinha de ser daquelas de correr, mas não calcularam as dificuldades. Jamais encontrariam a altura exata do corte na soleira da porta, nem a medida justa da massa. Os perfis dos trilhos eram duas peças imperfeitamente ajustadas. Por isso, a cada vez que abria, a porta de vidro trepidava feito um vagão de trem, para lembrar-me de que era preciso, era preciso fugir.

O mais importante: abriram as veias de casa. Isso é que deve ter me enlouquecido, a mim e a ela minha mãe. Cavoucaram o chão e eis que aparecem meus trilhos. As desculpas foram todas apresentadas com antecipação: um buraco grande para os dois perfis dos trilhos entrarem com folga, para haver espaço no fundo, para a massa cobrir o espaço no fundo. As entranhas, ninguém as imaginou. Para escapar de casa era preciso antes aceitá-las.

Se ao menos minha mãe. Se ela tivesse me ajudado a olhar em volta, me tivesse. Erguido. Um muro, ela diria. Lá fora há somente um muro. Ela precisaria tê-lo demolido ou me esvaziado de seu cheiro de mãe. Precisaria ter me jogado fora, por cima do muro, se tivesse. Mandado pintar toda a casa de branco, se esse verde indecente da fachada porque descorado porque da cor da cortina do quarto, de um parto malsucedido. Talvez eu, eu quem sabe.

Um muro. Uma porta.
Ideia insolente, porque. Se fosse porta pivotante, mas não: porta de correr.
Se fosse porta normal, do dia a dia, de todas as casas. Com puxador. Com distância de sete centímetros entre a face da parede e o centro do pivô. Com direito a uso de: furadeira, prumo, esquadro. Uma porta normal. Talvez abrisse para mim. Por falta de um prumo, quem sabe. Ou talvez fosse perfeita e abrisse apenas em resposta ao uso do puxador por uma mão competente. Eu haveria de abri-la quando aprendesse a domar o polegar e demais dedos em sintonia; meu irmão poderia abri-la sem precisar da raiva. Com os anos, porém, essa porta penderia para um lado. Até emperrar. Certamente, culpa dos pivôs. No começo, porém. Seria uma grande porta de vidro pivotante. Então me teria sido possível: abri-la. Sair. Então eu não teria ficado impedida nos trilhos.

V.

Eu te ladeava, no cio.

Eu gravei teu rosto
as nervuras em torno dos teus olhos

para não esquecer

escrevi
com cinzel
os alicerces nos cantos da pele

Ficaram teus arcos no interior da casa, a arquitetura abraça a cúpula, expõe as vigas e as falhas da tinta

Também as mãos no cinzel estão velhas.

Um dia o teclado acabou. Meu irmão: não quero mais.
— Tá bom, filho.
Ela suspendeu as aulas e nunca mais ouvimos falar da professora de piano. Na época eu ainda me sentava ao teclado para inventar frases, por falta de conversa com gente. Às vezes compunha parágrafos inteiros de notas que, juntas, desobedeciam as escalas. Minha mãe, se estivesse passando por ali, ao saber que era eu, ia logo dizendo para me ater ao método dos livros, às lições da professora. Era por isso que pagava as aulas, e as pagava caro. A música clássica, a eleita

de todas as artes. Em geral, eu acabava me levantando. Se, ao contrário, insistisse, e feito analfabeta sacudisse notas a esmo, sem ponto nem vírgula, ela diria, enfim, que eu parasse de tocar, pois lhe entupia os ouvidos. Quando se acabaram as aulas, meus livros de teoria foram doados à escola. A diretora os aceitou, alargando o sorriso, e depois fechou o portão. De pouco lhe terá servido, porque a escola não oferecia aulas de música. O teclado, no entanto, minha mãe manteve em casa; às vezes o deixava ligado, como por engano. Eu sabia disso porque a pequena luz vermelha no canto esquerdo. Ancorado à sua estante, o teclado ficou às moscas, pela crença de que, aberto, mesmo a juntar pó e bocejos, a casa estaria a salvo. Ela manteve o instrumento e a partitura a postos, na esperança de que. Minha mãe tem esperanças: na vida, na casa da praia, ela folheia as revistas e circula com caneta vermelha os anúncios imobiliários. Esperança no filho que não será gay, será forte e falará inglês. Esperança é isso: faz companhia. Também eu devo ter tido as minhas. Mas quem cultiva esperanças envelhece fazendo figas. Minha mãe: a mão aos poucos fechará na forma de amuleto, o polegar entre o dedo indicador e o médio. Ela não quer soltar os dedos, as amarras.

Nos dias mortos, eu a verei solitária arrancar à força um cílio de si própria. Ela pedirá seu segredo. Sobretudo, que continuemos assim, que a esperança não se desprenda do corpo como um sufixo, a esperança não pode ser um vestido, não, que a esperança se nos agarre, amarrilho, se nos ate. Ela é nossa cárie. Minha mãe pedirá seu segredo. Ela quer, eu sei: o filho, o filho de volta, ela é uma mãe que não soube esquecer. Todos sabemos.

Ela minha mãe sempre pensou que escaparia do nunca. Mas o nunca sempre riu dela. Ordenhava seus buracos até sair sangue. Nácar. Decretava a falência de qualquer contrato. Ele define o impossível. Intratável. Também sei de minhas dores, minhas disparadas. À noite a terra paira e abre todas as fendas, a lua traz venda nos olhos de maré alta. Tento não correr. Eu tento não correr. Minha dor, latência estancada, explode.

— Será que ele volta? — é a pergunta que minha mãe se faz. Essa pergunta começou a escolher a casa; primeiro, na garagem, patrulhando a entrada por trás do portão; depois acercou-se, passou aos quintais, plantou-se debaixo da janela do quarto de meu irmão, de onde ele jogava as bitucas dos cigarros. Desaparecidas, agora. Alguma empregada as varreu. Se soubéssemos que ele nunca mais, minha mãe decerto teria proibido a limpeza e no lugar instalaria um enorme cinzeiro para guardá-las, as bitucas. Possivelmente por isso, para dar conta desse vão debaixo da janela dele onde apenas a pergunta vigia, minha mãe passou a fumar, eu passei a fumar. Batíamos as cinzas no piso verde do quintal, junto à porta da cozinha, bem debaixo da janela de meu irmão. Encostadas no batente, revezávamos nosso posto. A pergunta, irritada, entrou. Deu para ouvir o som das botinas. *Será que ele volta?* Mas não, alto lá. Talvez a pergunta já estivesse aqui. Desde o dia em que: meu irmão quer ir embora, ele arranja um emprego. Soubemos: ele irá. O inquérito por que passam todas as pessoas que deixaram os trópicos: será que vai voltar? Formular a pergunta não nos impedia de temer a resposta, e a dúvida tornava-se cada vez mais isolada em seu caráter bruto de pergunta: vai voltar? Minha mãe a formulava, eu a formulava. Cada uma ao seu modo: ela, pelo jeito como pedia para a empregada varrer o quarto do filho, trocar os lençóis limpos que ele, tão longe, não usou, a todo momento estava era fazendo a mesma pergunta. No dia seguinte, vai ter com a empregada que não arrumou a cama.

— Não deu tempo, senhora.

A empregada deixa o balde e sobe com uma muda nova de lençóis.

Enquanto minha mãe pedia que abrisse os armários do quarto dele para ventilar as roupas, ela queria a todo custo era saber se o filho voltaria. Essa dúvida implantou-se em seus dentes, minha mãe abre a boca e mostra uma gengiva inflamada de tabaco e dúvida.

O meu modo de perguntar se meu irmão ainda volta: cuido do teto do quarto, à espera de que passe um cometa.

O desejo é tanto que não
eu não saberia dizer se agora ou ontem —
meu irmão tatuou um atlas para eu me perder, a última coisa
que anotei foi ele de costas, saindo.
A partir de então visto óculos.
Alguns dias antes de meu irmão ir embora, ele disse. Ele tinha
já dezenove anos. Disse que iria contar tudo para minha mãe.
Então chegou ao pé do ouvido dela e falou qualquer coisa.
— O que foi que ele te disse? — eu perguntei a ela.
Minha mãe fingiu não me escutar.

Outra dúvida empesteia minha vida, a saber: terá sido aquilo
terá sido antes terá sido onde meus graus não alcançam terá
sido apenas
um equívoco?
O desejo é tanto que não
eu não saberia dizer se agora ou ontem
a partir de então visto óculos para ver de longe.
É preciso voltar, eu preciso voltar. Na dúvida, é melhor que não
tenha sido. Parece que foi, contudo. Foi e, sendo, tudo se abriu,
tudo aberto mas esse interdito no meio: não posso passar. A
língua me bloqueia a passagem. Chego perto, estendo o braço
e emperro diante disso que não tem nome.
Meu irmão me.

O nome disso tudo é mundo.

Na dúvida aquela (o que meu irmão terá dito?) se meteu outra, anterior (terá sido de quem a culpa?), e mais uma (o mundo dá pé?). Duvido. Isso quer dizer: o mundo um grande sismo.
A dúvida (sobre se o mundo) foi vista sendo : desalojada.
A dúvida (de uma catástrofe maior que a vida) foi vista sendo
: rebocada
tira esse trambolho da frente, moça, sai do meio da rua, quer morrer atropelada?, isso não é tua casa, isso é São Paulo!
: transferida de maca
vou ver o que consigo, o hospital tá cheio tá bombando parece balada já vou dizendo que pra enxaquecas é só tomar aspirina mas se o seguro pagar a gente inventa que é grave e interna umas horinhas, por enquanto se tiver fome pode comprar amendoim e refrigerante na máquina, mas toma cuidado porque às vezes ela engole o troco
: no banco
quem pede 50 pede 100 pede 300 é melhor aproveitar agora a época das vacas gordas a gente pode estar te oferecendo até 310 mil com juros de cinco por cento pra pagar em até vinte anos dá pra comprar uma casa linda, onde é a casa que você quer comprar?
: zanzando por aí
essa menina tá é de brincadeira, eu no trânsito desde as cinco da matina e ela inventa de parar em fila dupla, desembesta sua puta!
: por e-mail
quando estiver no Brasil dá uma ligada a gente combina um café

escreve a amiga que nunca tive
esses dias vi tua mãe ela tá mesmo uma louca às vezes fica
emperrada na janela nem me reconheceu eu também quase
não reconheci ela tá toda estragada não fosse o sobrado da
rua xxxxxxxxxx não saberia que era ela, essa rua xxxxxxxxxx
deve ser a última rua de paralelepípedos de São Paulo... não
é por nada, mas você devia voltar pelo menos pra ver tua mãe
todo mundo comenta ela se trancou em casa não se larga uma
mãe assim desse jeito ingratidão
Mãe e dúvida foram vistas sendo : soterradas.
e aquele teu irmão
escreve a amiga que nunca mais vi
(que tesão de irmão você tinha)
o que foi dele?

Quando você volta?

À dúvida eu perguntava
: se eu seria capaz de. não enlouquecer : se eu seria capaz de. não enlouquecer.
Isso não é uma casa. O nome disso tudo é ~~barbárie~~ mundo.

A cartografia exata: meu irmão erra pela sala, vira-se para mim, deixa exposto um excesso no rosto. Exposto, assim, feito o inverno que sai à rua depressa demais e esquece à mostra o peito aberto. Ocorre, porém, que o corpo ainda não havia crescido inteiro, apenas o tronco, e isso confundiu quem por ali passava. Esse momento, de tão breve, jamais será lembrado. Foi muito antes de tudo, daquilo, e por isso antes do sismo já havia o começo.

Alguém se vai. Supomos: para pedir a conta ao garçom que finge não ver você. Ele levanta-se e vai em busca do garçom. Não volta, porém. Um outro cenário: houve uma briga, e depois. Ele vai embora. Então pensamos no ponto exato, dizemos: ele me deixou num sábado. Por exemplo: 13 de outubro, 7 de janeiro. Conhecer a data nos basta para preencher o cadastro das coisas abandonadas. Guardamos o sumário junto ao número de quilômetros que o carro dele terá percorrido até desaparecer. Esquecemos os pormenores: ele nos tinha avisado, pelo modo das mãos inquietas como em busca das chaves nos bolsos, ele nos avisava que estava prestes a. Quando alguém se vai é porque já o havíamos perdido para sempre.

Meu irmão sairia de férias. Cinco anos antes de sua fuga definitiva, talvez menos. Ainda sequer fumava. Viaja com um amigo da escola e esse é o prêmio por ter passado de ano. Eu sei das razões: o cachorro morto meses antes e por isso alguém merece distrações. O outro ficará. Eu sou o outro e, portanto, eu fico.
— Nova Iguaçu é longe, mamãe? — ele pergunta.
Umas quatro ou cinco horas, ela terá respondido.
— Porque a mãe do Rodrigo tem família lá, e me chamou.
As mães depois se falam. Primeiro, uma:
— Não se preocupe, tomo conta de tudo.
Depois a outra:
— Posso fazer um sanduíche de atum para os meninos?
A outra é a minha.
A mãe de um busca o filho da outra. A campainha solta um grito pela casa.
Meu irmão levanta-se e pega a mochila. No sofá fica o álbum de figurinhas.
As mães se falam. Primeiro, a minha:
— Não quer entrar um pouco? Um cafezinho? Um suco de maracujá? Tá fresquinho.
Depois a outra:
— Não, obrigada, vamos pegar a estrada antes das oito.
Os filhos se veem. As mãos dos filhos se apertam. São mãos que sabem apertar-se em cumprimento. No banco de trás, o cinto a postos, eles partem.
Eu reclamo:
— Você disse que eu não cabia no carro, mas tinha um lugar vazio atrás.
Minha mãe dá de ombros, pede que a ajude com os carretéis.

Durante as férias em que meu irmão viajou ao Rio de Janeiro e nos deixou sozinhas em casa, alguns anos antes dele decidir não voltar mais, enquanto eram apenas umas férias e ele deixou a nós e a empregada Palmira ou Jandira ou Rabira, deixou a Singer emperrada, nós e os bebedouros falsos no quintal, eu acompanhei minha mãe: ao cabeleireiro, à manicure, ao supermercado, ao posto de gasolina, à padaria, à loja de material de construção.

No cabeleireiro:
— Dois dedos, hein?
— Claro, senhora.
— Não vá me deixar careca.
— Imagina.

No estacionamento:
Minha mãe pede o mapa das ruas: um livro gordo e ingrato, sempre debaixo do banco do carro. Quer saber onde. Rua Jatobá, Jequitibá, Mauá. Anota novos endereços nas bordas de papéis já intransitáveis. Ela rastreia os melhores preços de pisos, azulejos, britas, silicone, eletroduto, bucha para tubo, armação; ela quer saber dos prazos mais rápidos para as entregas, e nessa busca nós brincamos de cidade.

Na loja de material de construção:
— Vim pedir um orçamento.
Minha mãe desenrola uma lista infinita.

Durante as curtas férias de meu irmão, minha mãe compra três pães todos os dias. Abastece o café da manhã como se ele também estivesse.

Ao voltar, ele já tem sua primeira namorada. Não sabemos como se chama, de onde é, se tem pai e mãe ou apenas mãe. Sabemos que a primeira namorada, porque. Meu irmão passará longas tardes no quarto, sozinho, a porta fechada. Alguma vez o verei apanhando o telefone para discar um número desconhecido. Na hora da janta, sairá correndo da mesa para atender a chamada, estridente, na sala.
— Alô? — e fechará a porta.
É tudo quanto poderemos ouvir.
Ficaremos, eu e minha mãe, a trombar garfos e facas no prato. Minha mãe tem à sua frente o relógio de ponteiro. Eu conto o tempo da chamada pelo prato dele sobre a mesa. Quando ele voltar, a comida estará fria e do bife não sairá qualquer fumaça.
— Quem era? — eu pergunto.
Ele dá desculpas. Uma colega da escola.
Quero saber quem.
— Você não conhece — diz e depois nos olha, para as duas. — Vocês... vocês não conhecem.
Ele sabe que dá desculpas e por isso adiciona:
— Coisas para um trabalho da escola.
De repente, os trabalhos da escola ganham grande importância, mais que o bife quente no prato, mais que qualquer episódio de desenho animado na tevê.

Meu irmão escuta música no rádio. Nada de *Clair de lune*. Ele escuta rock.
Tenho dezesseis anos e aprendo a língua dos ianques:
Sweetheart,
   Love will tear us apart.

A cada passo, emboscada. Por dentro desta casa sobraram caixas e uma demão de escuro.

Ele escuta rock. Ele parece já ter o primeiro pelo de bigode.

— Dia desses vou pros States. Adeus, coleção de rinocerontes. Vendo tudo.

Minha mãe, rindo, não respondeu. Tampouco entendeu que o tempo passa abrindo clareira, e meu irmão crescia.

— Abre a porta, filho.
— Por quê?
— Porque sim. Vai ficar o dia inteiro aí trancado?
— E daí?
— E daí que o quarto precisa ventilar.

— Abre a porta, filho.
— Por quê?
— Porque eu quero falar com você.
— Fala, eu tô ouvindo.
— Mas eu não te escuto bem. Abre a porta.
— Como não escuta se respondeu?

— Abre a porta, filho.
— Por quê?

— Porque eu estou mandando.
— Manda, eu tô ouvindo.
— Já mandei. Abre a porta.
— Não enche.

— Aulas do quê? Até parece.
— ...
— Filho, mas o teclado ainda está na sala, pegando pó. Esperando você tocar.
— ...
— A vida te oferece Bach, Beethoven, Chopin...
— ...
— ... e você escolhe boxe?

Com as aulas de boxe, viriam: saco de pancada luvas de couro almofadado manoplas capacete protetor bucal coquilha.

Ele abre a porta somente para fazer barra. As suas mãos: graves, a ponto de aguentar o peso do corpo. Ao se pendurar na barra, leva os joelhos dobrados para não tocar o chão. Meu irmão cresceu. Ele termina as flexões, solta a barra, fecha o punho e arremata o ar: *jab*, eis o soco. Ele treina. Os braços, os ombros, o abdômen. Estará sempre a postos, sempre pronto. Ele já tem idade para saber o que se passa aqui. Graças ao treino do corpo, meu irmão conseguirá obter essa patente tão esperada, mas tão remotamente acessível para nós dois, que é a oposição entre o polegar e os demais dedos. Ele vai se opor. As mãos, protegidas ou não sob a luva, fecham-se em murro. O adversário pode vir a qualquer momento. Agora meu irmão está apto para sair, para deixar quartel coleira jaula, e subir no ringue. Pronto para retaliar.

Minha mãe lhe dá uma coxa de frango.
Ele a devora.
Minha mãe lhe dá a sobrecoxa.
Ele a devora.
Nada sobra.
Minha mãe lhe dá mais arroz. Mais, mais.

O desejo é tanto que não
eu não saberia dizer se

se sigo dormindo

Acordo com as mãos no vão das coxas.

O cientista lembra-se quando uma moeda caiu no chão pela primeira vez porque nesse dia, ao abaixar-se para recolhê-la, descobriu a beleza da mão humana. Sem o polegar, diz o cientista, ninguém poderia pegar uma moeda, recuaríamos sessenta milhões de anos, ele diz, seríamos lançados para trás, à época em que um polegar era apenas isso: um dedo. Falo de causas, aqui. Veja, todo um argumento. A oposição dedos-polegar garantiu ao homem se desenrolar na postura vertical sobre a planta dos pés; garantiu a fabricação e o domínio das ferramentas, ampliando o cérebro pelo mecanismo de feedback positivo; garantiu a expansão da espécie. Foi o mais importante passo na história evolutiva da espécie.

Sabia que estávamos os dois fodidos, eu e meu irmão. A ele lhe faltava voz, a mim me faltava o resto. A ambos nos faltava a oposição. Demasiado rentes ao chão, misturados ao húmus. Talvez eu tivesse previsto a reviravolta dele: um menino começa a crescer e já é homem. O polegar opõe-se aos outros dedos, a coluna se verticaliza num imenso arranha-céu e já é hora, já se pode: fugir. Ao prever o salto, a virada, eu quis abocanhar um pedaço. A parte que me era devida. Não ia ser que ele a sair e eu para sempre ali, pregada ao chão de taco. Daí que eu juntasse os dedos para formar uma mão que não o largasse, ele, meu irmão: vínculos amortizam nossas dívidas. Se ele sair, sairei junto. É preciso avançar, antes de cair o dia terei trincado meu pedaço, eu dizia a mim própria, ao menos uma lasca, nem que seja de raspão, me contento com uma ementa ou artigo, parágrafo, cláusula, uma alínea que seja.

É tarde. Foi que se deu: seus olhos de repente secaram. Assim sendo, eu não sendo. Eu, na pressa de aportar na descrição correta da vida, a de alguém que se levanta e já está dentro do cotidiano, havia esquecido a outra parte: a seleção natural tratou de projetar o primata à escala humana, mas quando o polegar cresceu e compôs o dueto com o indicador, quando desse conjunto surgiu a humanidade — as mãos aprenderiam também os piores crimes.

Os teus olhos
— estamos perdidos   reconheço-me nesse vácuo
   não seremos capazes

A barragem
é de granito
um icto interdita e cala

Fala-se de: problema de expressão
cognição, comunicação

Se tivessem visto esses olhos,
            os teus, os nossos

Teriam sabido

dos pés
demasiado finos
            nunca encostam no piso
os dedos recolhem-se para dentro: de frio

como se a casa
fosse toda ela um terreno baldio em São Paulo

Teriam saltado
sobre o jardim, pisado nos ramos, quebrado jarros
dito ao vizinho: vá resgatar esses olhos que nasceram demais

Nada fizeram

— também não seremos capazes

Estamos ferrados, os dois.

Ferrados: em terrível colisão, entre a cruz e a água benta, a bigorna e o martelo, a parede e a espada, com a morte ao lado, a pedir socorro, apitar, correr o risco de, apoiar-se em frágil caniço, com a corda no pescoço, perigosamente, Cila e Caríbdes, com o credo na boca, em recurso extremo, em penúrias, a pique, valha-me Deus!, já era, em último recurso eu

eu correrei.

Cada vez mais para trás: é onde vou catar os pedaços. Posso recuar mais, se quiser. Antes, antes de haver qualquer data: as pistas estão por toda a parte, posso recuar ao parto. Meu irmão farejava a tocaia desta casa, e confabulou a saída.

Ele treina, ele será boxeador. Faz a conta ao contrário: quatro, três, dois, um. Solta a barra de metal, pousa os pés. Hoje chegou a vinte flexões. Mais uma vez. Estende os braços e agarra a barra. Vai erguendo o corpo com os joelhos dobrados. O bastão de ferro no vão da porta, e meu irmão a testá-lo. Seus músculos estriam a pele, cresceram mais rápido do que ela podia suportar. A altura é tamanha que não só a pele, também as roupas não lhe servem mais. Estava previsto: as meias, os cadarços, os dias — tudo haveria de encurtar.

A partir de então meu irmão se habilitará na posição de guarda alta, e dele só poderei ver os olhos. A guarda é de onde partem todos os golpes no boxe. Meu irmão, que é destro, mantém o pé esquerdo à frente. Estará sempre de lado em relação ao alvo. O mais importante, seus punhos levantados em frente ao queixo protegem o rosto; os cotovelos dobrados para baixo, junto ao corpo. Isso o obrigará a usar o quadril, de onde virá a potência do soco. Os pés: ele aprenderá que durante a luta os pés nunca devem deixar o contato com o solo. Essa notícia tardia lhe possibilitará sobreviver. Com as pernas afastadas à largura dos ombros, o tronco e a cabeça um pouco inclinados à frente, o olhar fixo no adversário: ele começa o combate.

VI.

No céu do quarto, os planetas pararam. Eu subo no colchão, quero arrancá-los. Já não há sol nem Terra, um meteoro passou por aqui.

Qual a medida que nunca se pode perder? Eu vi tua noite descer em todos os escombros. Eu vi teus olhos secarem: dois uivos.

Meu irmão desce. Tem fome. Abre a porta da cozinha; espanta-se ao topar com minha insônia: àquela hora?
— Vim ver o pé de salsinha — digo, por dizer algo, e debruço minha insônia sobre a planta em frente à pia.
Ele segue seu percurso: — Você tem cada uma...
É madrugada, mas há fome. Sempre com a mão branca de esparadrapo dos boxeadores, ele abre a geladeira, pega o hambúrguer descongelado, pega a mussarela, pega no armário a panela de aço, a caixa de fósforo. Chacoalha: está vazia. Tira do bolso o isqueiro e me pede para acender o fogão. Pede a boca de maior chama. Eu acendo. Enquanto a panela e o hambúrguer, ele pega o saco de pão. Devora um pão francês.
— Tá bem esse seu pé de salsinha? — me pergunta com a boca cheia.
Sim, estava. Quer dizer. Um pouco seco. Precisava de mais água. Mas, enfim, era apenas um pé de salsinha.
As migalhas do pão grudam em algumas partes do esparadrapo, caem na bermuda, no chão. Ele deixa a panela desatendida no fogo e vai sentar-se no banco junto à mesa da cozinha. O cheiro de hambúrguer debocha da madrugada; eu escancaro a janela. Sentado, com as pernas abertas, ele apoia os cotovelos nos joelhos e pende à frente. Começa. Todo um processo, o de desenrolar o esparadrapo. Depois, feito uma cobra a mudar de pele, desenfaixa as bandagens da mão direita. Eu me adianto à panela para virar o hambúrguer. A gordura espirra na camiseta do meu pijama.

— Que horas vai ser? — pergunto.
— Às seis.
— Seis? — me espanto. Faço as contas. — Você vai dormir só cinco horas?
— Da tarde.
Claro, só podia ser da tarde. Peço desculpas pela ignorância. Só podia ser da tarde. Seis da tarde, ponto final. Levo as mãos à frigideira, aos cabelos, dobro os braços. Tento raspar o queijo que já está queimando na panela. Não sei onde meter minhas mãos quando estou ao seu lado. Tampouco sei o que dizer. Escolho sempre as palavras vazias. Ele não tem mais problemas em falar. O consultório da fonoaudióloga com cartazes a pedir silêncio limita-se aos anais da infância. Quando quer, ele fala. Quase não fala. Ele me aponta a mussarela, ele quer que eu coloque as fatias por cima. Não precisa nem falar. Simplesmente prefere: ficar quieto ficar na sua não enche o saco. Seu polegar se independentiza, pode fazer o que quiser, ninguém mais o segura, ele é meu irmão e atravessará o campo de batalha levando consigo um corpo.
— Tá nervosa?
— Eu? — apago o fogo para não queimar o hambúrguer; esbarro no cabo da panela, que balança sobre a boca do fogão, mas não cai. — Por quê?
Ele continua sentado. Deixa pra lá, diz. Levanta-se. Pega o hambúrguer com a mussarela, tempera com pimenta, e os mete, o hambúrguer e o queijo, dentro de outro pão francês cortado ao meio com as mãos. Põe o pão cheio de hambúrguer e queijo no prato de vidro fosco. Encostada no balcão, eu volto à posição de assistente de pés de salsinha. Meu irmão enfim avança sobre a planta, pedindo licença com seus braços tão grandes, e decepa uns galhos.

— Espero que você não ligue — diz, rindo, e coloca as folhas dentro do pão.
Não, não ligaria. Viro-me para ele: — Às seis, né? Boa sorte. Ele agradece. Antes de sair com o sanduíche para o quarto, ele lembra que eu não poderei assistir ao torneio.
— Você sabe...
Fecha a porta da cozinha.
Claro, eu sabia. Se não sabia, fiquei a saber. Mas não disse. Não lhe digo mais nada. Não digo dos socos no saco de pancada que chegam ao meu quarto e me impedem o sono. Do pé de salsinha que ficou todo quebrado e não se curaria. Da panela suja e que serei eu a lavá-la porque é sábado e a tentar desgrudar os restos do queijo. Ele não tem mais problemas em falar. Quando quer, ele fala. Quase não fala. Não precisa. Ele agora tem as mãos. Com o tempo descobrirei nelas, nas mãos que eu nunca terei, descobrirei a pele escorada de bicho; um murro. Ao adquirir um polegar e o instinto de salvar-se, meu irmão irá além da confecção de ferramentas, da locomoção bipedal, da ampliação do cérebro do *Homo sapiens* pelo método do feedback positivo. A pele enruga, a casca é dura e se opera o câmbio. Meu irmão está virando homem, e por isso mesmo vai ficando bicho.

Agora sei de nossas fomes,
eu como
tu comes
e ela finge nada ver.

Meu irmão avança sobre o pé de salsinha, pedindo licença com seus braços tão grandes, mas atrás de tudo, antes de lhe decepar os galhos, antes mesmo de se levantar, enquanto amassa o primeiro pão entre os dentes, ele me olha. É madrugada, ele me olha. Sei disso, eu junto à bancada, ao lado o fogo, enquanto o hambúrguer e a panela de aço, ele lá, ele me olha.

Ouço seu sono do outro lado do quarto. O ruído tem o timbre das rochas. Longe das águas, apenas o friccionar das rochas em si próprias. Mantenho-me firme, junto aos lençóis. Até que levanto. Saio ao corredor. Caminho. Abro a porta. Meu irmão dorme. É um sono inquieto. Ele se agita. Terão chegado ondas a golpeá-lo. A coberta tombou ao chão, ele se desfez das roupas e é apenas o travesseiro a dizer que se trata da noite, de um homem, de um sonho.

Do outro lado do quarto, ele ouve meus sonhos.

É o fim do mundo. Da picada. De tudo.
— Teu irmão quer ir para os Estados Unidos.

Era viagem curta: coisa de dias. Ir e voltar. Ver a Estátua da Liberdade, as Torres Gêmeas. A Quinta Avenida. Não serve o Obelisco do Ibirapuera, a Torre do Banespa? A Paulista? Não serve, não, mamãe. Diz à mãe. Usufruir as férias. CLT. Ele tinha contrato, seguro médico, auxílio transporte. Mas o avião pode atrasar na volta, vai perder o emprego. Que nada, perco não. É melhor esperar baixar o dólar. Que nada. Mas os Estados Unidos é terra longe demais, vai se perder, vai se atrasar na volta. Que nada. É logo ali. Bate-volta. Dá tempo só de comprar umas lembrancinhas, ímãs de geladeira, chaveiros, e voltar. Minha mãe insiste: mais um ano e íamos todos de CVC passar as férias juntos.
Ele dá de ombros.

Disse que ia para Nova Iorque, isso disse, mas acabará no Colorado.

Eu habito um coral
casa insular recife atol
resquício de sal nas unhas com que aperto os bolsos vazios.
Quando fosse embora, meu irmão. Ele acenaria da sala de embarque. Meu irmão de boné, apertando um documento sem carimbos. Acena, indecente. Os abrigos dobrados pesam no antebraço. Viria o frio. Lábios brancos, pés que avançam indecisos de neve. O boné daria passo ao capuz. Talvez assim ele poderia habitar as galerias de um glaciar, algo em tudo parecido ao coral, garganta que coleciona natureza própria. Quem me acena não é ele: são os braços de um avião. Eu respondo, e meu sinal datilografa um tremor no ar. O braço pela primeira vez obedece e ergue-se tão duro quanto a enorme parede de vidro do aeroporto que me aparta de meu irmão. É nesse pedaço de frio que inscrevo a sua falta.

Mas meu irmão saiu rápido demais, deixou a casa sem avisar.
Fiquei sem acenos nem sala de embarque.

Eu habito um coral
casa insular recife atol
atoleiro
em Juazeiro também há casos semelhantes

— é o que dizem.
De irmãos com irmãs. O mais comum: pais e filhas. Há também. Outros casos. Muitos. Em São Paulo é mais pecado então eu vou pra Lisboa vou m'embora pra Lisboa mas não é bem por isso, seu moço, vou mas é apenas por acaso, vou porque é preciso.

— Não quer que a gente veja as suas malas — minha mãe diz, cortando cebolas. É terça-feira e a empregada faltou sem avisar.
— *Devem ser malas de quem não volta* — minha mãe não diz.
— *Porque devem ser malas de quem não volta* — repetem as sobrancelhas de minha mãe. Ela corta cebolas. Liga o rádio. Não entoa música, prefere notícias. Antes, nem que fosse por três minutos, eis que uma música espremida entre as notícias, mesmo sem rock sem sertanejo só Schubert, ela nos concedia esse breve indulto. Agora não, meu irmão a fazer malas que ninguém vê, porta trancada por dentro, sai de manhã cedo porque enfim o primeiro emprego, enfim ele escapará, mas minha mãe, mulher de dois partos, peitou São Paulo e a cidade despejou-lhe um muro em frente à janela, em breve despejará o filho para longe, ela nunca deixou de cantar, de entoar as notas que os filhos no teclado, mas o teclado já ninguém, e enquanto meu irmão nos abandonava, ela minha mãe, talvez por vergonha ou tristeza, talvez por saudade antecipada, ela foi virando época de estiagem, emudecendo, vê-la foi saber que mesmo sendo o fim da noite, também o dia se calava. Que só um de nós ficava.

No dia em que meu irmão foi embora,
saiu cedo,
deixou

as estantes

as estantes repletas: de

saiu cedo
e por isso recusou
carona, acompanhante
disse-me: as tuas enxaquecas.

Do outro lado do quarto, ouço seu sonho. Terei dormido, eu também?

Meu irmão sequer levou
disse que não pode, não cabe
deixou até as chaves
de casa do quarto as roupas no armário
não pode, mamãe, não pode
as luvas de boxe, não pode

Há de se apalpar as rugas nos cantos dos olhos e dos beiços daqueles que fogem em silêncio, na madrugada, deixando aos outros a tragédia de contar suas vidas. Decerto a pele estará eriçada feito o pelo de cães raivosos.

Tardamos dois dias para entrar em seu quarto.
Não choveu e por isso não justificava fechar a janela. Mesmo que chovesse, não se justificava entrar porque a janela já estava fechada. Apenas as frestas horizontais da veneziana, por onde não entraria sequer o canto de um pássaro, nos diziam que a lâmpada também se apagara. Postergamos nosso ingresso.
No terceiro dia, porém, a explicação foi contrária: é preciso intrometer-se para. Ventilar. Arejar. Espantar maus espíritos.
Foi quando entramos.
Pensávamos encontrar um quarto vazio.
Não. Sequer revirado: estava impecável. Nos armários as roupas todas dobradas, como nunca meu irmão teria feito se não fosse para chamar atenção. Minha mãe se alivia. Vai voltar, ele já já vem, é só mesmo um bate-volta. Olha só, deixou até os sapatos.
As prateleiras, contudo: mais nenhum rinoceronte.
Minha mãe lavou as roupas todas, e todos os meses as seguiu lavando, não vai ser que ele as encontre com traça ao voltar, ou cheirando mal, quando ele regressar dessa viagem que ia

se alongando sem querer, e ela lavará suas roupas até morrer,
até meu irmão não voltar.

Depois de lavar as roupas, ela mandará retirarem o carpete
porque o pó, e no lugar haverá taco de madeira, os mesmos
losangos do andar de baixo, mandará a empregada encerá-lo,
enquanto ela minha mãe cuida de tudo, dos sábados, das fadigas, para não deixar que a velhice se acumule no quarto. Ela
espantará o pó das estantes com flanela e abrirá as portas dos
armários para as roupas, esses panos sem corpo, respirarem.

Passei a mão nas estantes todas
onde a coleção de carrinhos e piratas e rinocerontes
e que agora eram
    prateleiras cheirando a desodorante, mais nada.

Passei a mão e caíram estrelas
poeira contra a luz
    cerzindo o vazio
seu vazio pousando em mim.

O colega passará em casa, pedindo as luvas de boxe: — Teu irmão disse que ia me dar.
Eu digo à empregada. A empregada chama a patroa. A patroa estica o pescoço ao portão. Convoca desculpas: — As luvas podem estragar.
Ela diz: — Não são do teu tamanho.
Ela acrescenta: — Quando ele voltar das férias vai precisar delas.
O amigo não entende: — Férias?

Sair. Alugar uma casa com vistas à China, à Guanabara, ao raio que o parta. A minha casa abre para as costas do muro vizinho.

Meu irmão consegue. Ele vai, ele parte a tempo. Manda postais sucintos: Santa Mônica, Grand Canyon. Las Vegas. Repete em letra grande os nomes das cidades impressos em letra miúda atrás do postal. Deve fazê-lo para agradá-la, a minha mãe. Porque aos quarenta anos, ou mais, ou não sei bem quantos, ela nada enxerga e queixa-se pela casa à procura dos óculos: — Não, esses não. Os outros, os de ver de perto.
Ele vai embora e é com esse aviso que o incêndio se alastra.

VII.

Minha mãe cobre o teclado e, ao fazê-lo, está a fechar os olhos
de um morto. Fica a vigiar os destroços da família.
  Mas os dela eram olhos vazados, nada viram senão a
    ela finge não ver, mas
viram apenas o relance com que
mas não, não puderam ver nossos
    ela finge, mas
viram apenas a força com que
, mas
aquela força grandiosa tão maior do que meus olhos.

Não puderam ver nossos

        nossos corpos ficaram fora de foco
os ossos à tona, no pescoço uma veia e a noite.

Ela, a única que poderia ter visto. Cumpria todas as condições:
músculos, nome, polegares desde cedo em plena função.

descubro que:
minha mãe mandava:
que a professora não me deixasse:
    que ela me
    que ela me estancasse

(ela me atrapa me traga me ganha)
não me deixasse ultrapassar meu irmão.
— Seria uma vergonha para ele — teria dito minha mãe.
Por isso nunca chegarei ao caderno II do método de piano, nem me será permitido tocar as escalas menores.

Ela agora gaba-se ao telefone com as amigas:
— Meu menino nasceu com a mesma coragem da mãe — diz sobre si própria. — Ir até os Estados Unidos, e sozinho.
Eu me pergunto como pode ela celebrar a própria tragédia; como pode ele pagar tantas viagens: ao Grand Canyon, Nova Iorque, Las Vegas. Mas são dessas perguntas afônicas, sem ponto de interrogação, apenas um leve franzir de testa.

O primeiro sobretudo que minha mãe comprou veio de Campos do Jordão:
— Dá uma olhada, lã pura.
Ela o encomendou a uma colega que passaria a lua de mel entre orquídeas e araucárias de verdade. Com mãos de especialista, minha mãe amacia o abrigo sobre a mesa de centro da sala.
Me aponta cada dobra:
— Repara na maciez, no brilho...
— Ahã.
— ... na leveza.
Seus elogios fazem sempre a volta necessária para atracar aos próprios pés. Quer dizer: para falar bem de si própria. Porque o cachorro obediente que dá saltos de malabarista é mérito, sobretudo, do dono que lhe adestrou.

— Não falei que só em Campos do Jordão se encontra um bom sobretudo?
Era bom, mas não fora ela quem o costurara. Sem poder reivindicar o mérito, restava à minha mãe adulterar o elogio.
— Bem que o corte podia ser um pouco acinturado — ela lamenta. — Mais parece um saco de batatas.
Os demais sobretudos vieram com o tempo e as visitas a lojas de shopping centers: pretos, marrons, quadriculados. Ela se especializa na leitura das etiquetas: 64% poliéster, 19% acrílico, 11% lã, 3% poliamida. Lavagem a seco com percloroetileno. Lavagem a máquina a 30°C máximo. Lavar com cores similares. Passar a ferro, temperatura máxima 110°C. Não centrifugar. Evitar secadora.
Não sei se a ideia de visitar o filho partiu dela ou dele. "Vá se preparando, mamãe, o próximo réveillon você passará falando inglês", ela gaba-se às amigas por telefone. "Foi o que ele disse, acredita?". Depositados nos cabides, os sobretudos de lã prontos para o uso, mas. Estamos nos trópicos: o feijão azeda fora da geladeira; o ocre do outono fica cada vez mais avermelhado, até apodrecer; a passagem muito cara para os States. Minha mãe não desiste; minha mãe brinca: ainda decolará num avião da Panair.

As mensagens dos postais aumentam. Agora incluem letra cursiva. Perguntas. Como está a senhora? Desejos. Good Pascua. Conselhos. Pedir para empregada cook frango with batatas for you. Eu saberei: é a mulher. É a americana com quem ele se casou sem avisar a família, com quem jamais terá filhos, como eu, não há de parir sequer um cão, é a mulher dele que pergunta se a sogra está bem. Que envia lembranças com atraso.

Nem devem ter sido tantos postais: agora mãe e filho falam-se ao telefone. Minha mãe, da sala, grita que eu desligue o fogão para não queimar as panelas, move o fone como se pudesse, repetindo as mesmas perguntas. Como se pudesse alcançá-lo, o filho. Maldiz o telefone quando toca e ela não chega a tempo, quando ao cruzar a porta da sala o aparelho já emudeceu. Manda instalar um telefone sem fio. Maldiz as baterias do telefone sem fio que descarregam rápido demais. Deixa-o inerte aonde vai, à espera de uma ligação tardia. Inspeciona-o regularmente, como se a massa do pão que ainda não cresceu. Espera a chamada do filho, espera o filho. Eu saberei: ele não volta. Mas ela inventa manias: ninguém suporta envelhecer na neve. Ou: americanas gostam do Brasil e do carnaval, a esposa vai querer vir para cá. Nada. As ligações ficam mais raras. Minha mãe se enterrará cada vez sob mais calor, mais São Paulo, ao lado de um telefone sem filho do outro lado.

Ela o esperará até a morte.

Menina levanta a meia-lua do telefone e conversa com a noite branca.

Não, não haverá postais. Ou terão sido escassos. De contar nos dedos. O filho se resumirá em uma ligação rápida. Tudo all right. Ok. Ligará no aniversário de minha mãe. Baby. Surprise. Ela beija o gancho branco do telefone: meu filho. Quer saber. Do frio, se os abrigos chegam para tanta neve. Das meias, se à noite ele não as esquece e os pés gelados. Não quer saber do Canyon. De Las Vegas. Meu irmão conta: do Canyon, de Las Vegas. Tudo all right. Os gringos são feras no boxe. Mas não há tempo, os minutos escorrem pelos fios e afinal são fios internacionais, dos States, sem poliéster
Filho, espera
Vai cair
Espera
Vai cair mamã...
Ela se desespera ela esquece o decoro e de seu rosto a espécie ancestral no sotaque de xilogravura ela quase fala quase nasce por dentro pela primeira vez vem falar o deserto: "Me espere que eu vou!". A frase chega tarde, choca-se contra o pio da ave que rapina sua felicidade: pi-pi-pi...

Aos quarenta e três anos, ou cinco, ou seis, minha mãe recebe indicações do médico: fazer caminhadas. Ela aceita. Prepara-se. Vai aos shoppings porque lhe faltam. Tênis. Meias. Bermuda. Depois passará a época das bermudas e terá de voltar às lojas para. Calças tipo legging. Boné. Depois passará a época das leggings e ficarão bermudas, leggings, bonés e tênis de caminhada em casa, parados.

Ela reclama das pessoas furando a fila. Mais de uma hora para ser atendida no banco. Depois vem uma grávida sem barriga e, zum, passa na frente. A mulher dissera que estava grávida, pediu licença. Mas sem barriga. Minha mãe investiga as dobras da roupa, para ver se. Alguma barriga. Nada. Decepciona-se:
— Só nos Estados Unidos o povo é civilizado.
A mulher detrás, na fila, concorda:
— É verdade.
Minha mãe explica:
— Lá todo mundo canta o hino.

Aos quarenta e alguns anos, minha mãe inscreve-se em um curso de inglês. As apostilas e agora ela toda séria me pede a borracha emprestada e exige silêncio na sala: é hora da lição de casa. Ela começa. Sua pronúncia range e as mandíbulas batem tortas sem que a linha alcance, a costura solta, a garganta emperra: ela ensaia ela tenta ela implora *How much is it, please?* ela arregala os olhos para si própria *Oh, too expensive!*

Acode o telefone e do outro lado a música imita um teclado. Alô alô. *Chamada a cobrar.* Alô. *Para aceitá-la, continue na linha.* É ele, é meu filho. Alô alô. *Após o sinal.*

— Filho?
É Ludimila, dizendo que não vem porque mais uma greve de ônibus.

A casa da praia aguarda. Não há mais dinheiro. Minha mãe paga o caseiro apenas para cortar grama e erva daninha. Evitar invasores, o usucapião. Ela minha mãe, com a mesma veemência de um coração bárbaro, põe-se a buscar passagens, depois hotéis, depois pacotes de viagem. Enquanto isso os sacos de cimento velho em Ubatuba. Já pouco lhe interessa a Serra do Mar: agora quer vencê-lo, o mar, essa grande tragédia que é o Mar do Caribe, o Golfo do México, essa grande tragédia da América Latina, longe do mundo, de tudo. Quer saltar do Brasil aos Estados Unidos. Vai à Rua Ararima, à Casa Verde, atravessa Perdizes e o Pacaembu. "Me espere que eu vou" — acumula essa frase para a próxima ligação vinda dos States. Os bilhetes ao lado do telefone sobre a televisão entre as almofadas do sofá em cima da mesa embaixo do jarro em meio aos livros às agendas aos calendários de bolso de mesa de parede: antes nomes, frases; agora, números: 1.850 em 12x, 550,00, cotação 2,0921 em 20/03. A calculadora portátil substitui as páginas de revistas de arquitetura roubadas dos consultórios.

Ela hesita.
A cada semana renova as contas e migra de uma agência de viagem a outra, como se buscasse a melhor casa de penhora. Há dois nomes, e apenas um deles significará que verá seu filho. CVC e Soletur. Oscila. Faz fila na porta de cada loja, oferece

bolo de fubá à secretária, pede para falar com o gerente. Não adianta. Visita outras filiais, "Veja que coincidência, eu passando por aqui e encontro uma agência de viagens", dirá aos vendedores. Os vendedores acreditam, estendem-lhe a mão, pedem que se sente, depois deixam de acreditar, e quando ela lhes telefona mandam a secretária dizer que estão todos em hora de almoço.

Minha mãe volta à casa com força suficiente para jantar e refazer os cálculos. Promete a si própria: "De novembro não passa".

Não pergunta nunca se eu também quero ir. Sabemos que não há espaço para mais uma pessoa. O amor é tão contado quanto o dinheiro que ela economiza.

Nos armários, os ombros dos sobretudos se hão de cansar, como eu me cansei; seus braços não aguentarão empunhar a passagem, esse papel tão pesado que, ao modo de chave, abrirá passo pela América.

Loucura se esconde em tudo: na caixa do sapato, nos talheres. Disso eu só entenderia aos pedaços. Estou tentando juntar os meus: cada pedra escada ribanceira muro.

A empregada, depois de chorar o marido, sentenciava: — Ele ainda vai voltar. Ah, se vai.
Logo depois, suas dúvidas: — Será que ele vai voltar?
Minha mãe respondia: — Vai, vai.
A empregada sonha sua vingança: o dia em que a amante do marido, vinte anos mais nova, de salto e unhas compridas, exaspera-se: jovem tem sede de outros homens; o marido que abandonou a esposa é então abandonado pela amante; ele, enfim, regressa à primeira com o focinho virado ao chão. A empregada jura que quando esse dia chegar não oferecerá ao homem sequer uma gota d'água, sequer ração para cachorro. Ela sonha com sua vingança de mulher traída.
Voltar é uma questão de honra, não de saudade.

Os filhos também hão de voltar.
Se eu contei os quilômetros entre a casa e o lá fora foi para reclamar uma sobrevivência: aqui começou meu governo. Testei-os uma e outra vez, invadi mapas alheios e nomes de ruas ao avesso, fechei os armários e embarquei num sono; alguns anos mais tarde fui parar em Lisboa, no inverno, com homens engraxando sapatos de couro e mulheres vendendo panos bordados nas ruas — para saber-me com os pés imóveis, fincados aqui.

A distância é o único acervo admissível na bagagem de mão.
Abro-a: é a minha infância que salta entre blusas de caxemira e luvas vermelhas. Abundantemente.

— Melhor esperar a primavera.
minha mãe diz à amiga.
— Não vai mais no Natal?
a amiga pergunta.
— Melhor esperar a primavera de lá.
minha mãe diz.
(mas não diz sobre os preços da neve, da alta temporada).

Os ombros do sobretudo se cansam, e eu, e o mundo.

Setembro, o mês em que tudo mudará.
Um avião com testa de fera a acometer as Torres Gêmeas e em casa a boca de minha mãe abre-se e excede o grito. O início daquela que não foi a Terceira Guerra Mundial marcará também a loucura dos noticiários. Minha mãe em frente à televisão a buscar um rosto, o do filho, e enxerga apenas e sempre a mesma imagem, a de um estupro, um grande falo voador invadindo outro edifício.
Em dois dias todos os papéis em casa estarão anotados com números de telefones do Colorado; desconheço onde os terá conseguido. Quer ter a certeza de que. O filho longe de Nova Iorque. De que. O filho a salvo. Desconheço sequer se terá ligado ao estrangeiro. Troca as palavras, confunde-se de tom, de voz, de verbo. Where is he torna-se Who is he. Muda os prefixos. 303 em vez de 718. My son, my son. Esquece de dizer seu nome, nem há tempo porque do outro lado já desligaram. Minha mãe ofende a companhia telefônica, os malditos prefixos, a cera nos ouvidos dos ianques que só entendem Coca-Cola.
Sim, o filho está a salvo. Ele liga, ele conta a tragédia. Nunca as montanhas do Colorado foram tão bonitas.

Ele conta para ela e depois desliga.
Minha mãe dá seu aviso tardio: "Me espere que agora eu vou". Agora ela vai. Ele já desligou, mas ela minha mãe deu o

recado. Somente um louco quererá voar agora. Ela. Ela quer voar a toda a velocidade, novecentos quilômetros por hora a doze mil metros e por cima das nuvens. Quer comprar logo sua passagem. Encontrar um filho após a hecatombe não é para qualquer mãe. Ela minha mãe sabe que envelheceu: todo aquele afã de uma casa de praia e após anos do que dispõe ao final é de um terreno retangular infestado de sacos de cimento e erva daninha. Ela sabe muitas coisas. Mas não sabe que doze mil metros é uma altitude que cega.

Queira desculpar, senhora, mas
voos cancelados
ec,ncavlado,s anulados, dissolvidos, aniquilados, decapitados, aterrorizados, bombardeados, serão todos reagendados assim que possível no espaço aéreo norte-americano. Agora não dá. Queira esperar até outubro.

— So-le-tur.
Soletra o nome como se de um poema se tratasse. Chega em casa com o contrato e uma orquídea. Voo de American Airlines para o final de outubro e é enquanto o dólar ainda alto mas o preço da passagem caiu, enquanto toda São Paulo reivindica uma vaga para estacionar o carro, o cobrador do ônibus pede um passinho à frente, por favor. Empréstimo no banco e pagamento à vista à agência de viagem, com hotel incluído porque, afinal, afinal não queria importunar a nora. Desconto de dez por cento. Atravessará todas as Américas sentada na poltrona 12B, não há janela mas o que fazer? Dezesseis horas é bastante, escala no

Panamá e em Los Angeles, em dezesseis horas há tempo para tricotar umas boas meias. Ela comemora beijando a orquídea.

Hora de contar para as amigas, dizer que o destino não mora em Ubatuba, o destino fala inglês, o futuro é os States e está a somente dezesseis horas. É o bastante, um belo número, e redondo.

É bastante, mas não chega. Eu tentei avisá-la: a vida não dá pé.

Ela minha mãe alucina.
Uma linha telefônica que ninguém atende e por isso ela terá de cruzar São Paulo, em casa a orquídea mora em um vaso de plástico e é no terceiro andar do prédio da Avenida Paulista que
— Queira desculpar, senhora, mas
não pode subir : porta lacrada; não tenho nada com isso : sou o recepcionista; isso é só um prédio um edifício, assim vou ter que chamar a polícia.

Bastaria ela ter hesitado, ter pendido de um lado a outro. Denver, São Paulo. Ou bastaria ter feito outra escolha. Em casa, todos os meses rimam com muro. Entre Soletur e CVC, ela errou: em 25 de outubro a Soletur declara falência. Antes do embarque, antes da orquídea murchar.

VIII.

É noite
minha mãe não dorme

no alto
a lua

sobrancelha

(

cega sobre o mar.

Ela tomba no sofá. Não quer revistas nem carne de panela; não quer pregar botões, não quer fazer barras, não quer a overloque que já nem fala. Ela aguarda. Que a Soletur lhe devolva o dinheiro. Ela aposta que foi tudo um mal-entendido. Ela aguarda. Aposta no filho: que ele voltará. Bin Laden, os terroristas, não há razão para preferir os States, e afinal era ali, em São Paulo, onde todo o encanto de um quarto com piso de taco. Não, ele não volta.

Éramos três, e meu irmão o mais belo.

É o caçula, mas tem a força de. O cimento devastou-lhe a pele, deixando no peito as paredes de um edifício. Cidade-rinoceronte. Armadura cinza disposta ao ataque. Mas a maior parte do tempo será indolente, à beira de um lago, alimentando-se de ramas, folhas. Eu só depois saberei de seu olfato que dobra esquinas e marquises. São tão poucos os postais que mostram seu destino, e tão vazios. Uma linha, duas palavras. Minha mãe passa as tardes de domingo detalhando os caminhos do Canyon: "Imagina se alguém cair em um desses vãos?", "Vermelho ou laranja avermelhado?", "Como se pula de um penhasco para outro?", "Laranja, sim", "E a altura, não vem escrito atrás do postal qual a altura?", "Já pensou se perder nessas rochas?", "Acho que mais vermelho do que laranja". "Enfim, cor de barro".
A casa manteve-se ordenada nesse tempo de Canyons. A mesa, ao menos. Ela a limpa com flanela, afasta pacotes de mostarda, garrafa d'água, cinzeiro. Senta-se em frente ao postal, encostado contra um vaso como se porta-retrato. Com os meses e as linhas tão breves, os postais criam orelhas e corcundas. A imagem na pequena cartolina não dará mais conta. Minha mãe a segura, abana-a, leva-a pelos corredores atrás de mais luz, manda abrir as janelas. Reclama do "Lá vem chuva": quer o dia claro. Pouco adianta. Os postais são os mesmos, e poucos. Não há mais novidades. Eu então vejo a mesa: aos poucos, o tampo cheio de desinfetantes, pomadas, caixas, cinzeiros.

Remédios. Minha mãe não a limpa mais. Ela está agora no sofá, ali, ao alcance da mesa de centro e do controle remoto, deitada junto à televisão. Reclama, dá desculpas: dores nas costas. Os postais são broches no peito. Minha mãe joga terra sobre o corpo, sepulta-se debaixo das montanhas do Colorado.

Repartimos
nossas olheiras
e uma xícara de chá

Os dias passaram a ser feitos de espera e pó. Durante o dia, o cimento, que pensei iria fundar nossa vida, havia se disseminado com o vento —
outras vezes,
ocorria
estar molhado. Derrapava em vez de suster o passo.
O cimento que me iria civilizar, basta chegar o asfalto para o homem de gravata e pasta à mão, eu também precisava das duas, a gravata e a pasta, precisava sair de casa como quem diz: "Vou trabalhar". Em uma casa daquelas, tantos quartos e os metros quadrados a crescer, seria difícil atravessá-la até a cancela. Sobretudo, seria impossível atravessar minha mãe. De dia eu ficava a olhar a cena grudada no muro em frente, uma cena de cal e peste.

Menina tinha saudade do mundo todinho, e se agarrava em suas entrelinhas.

Coloco-me a postos. Para ver o dia. Por um desses orifícios dinamitados em uma parede. Nos manuais: uma janela. Janela com flores no peitoril, coloco-me a postos. Mas onde as flores? Todas depenadas. Uma janela-grade, janela-lanças porque ladrões. Enfim, uma janela sem dia lá fora, empenado o dia e a janela a conversar com o muro. Chego perto demais, quem sabe. Do muro, das vistas. Emperro junto à janela. Estava apenas me colocando a postos. Mas não posso mover os cotovelos. Ficaram entupidos no caixilho. Terei de cortá-los, se quiser sair. Sair dessa posição. De quem espera. De quem imita o genitor.

Também imitei os homens de minha espécie. Um treino auditivo para saber quando um deixar-se cair no sofá era essência ou circunstância. Treino-me para saber: o tombo de minha mãe é grave. Caída no sofá junto à televisão, todos os dias, subterraneamente tapada de postais para proteger-se do inverno tão vivo, ela não terá mais forças de.

O sol baixo pouco esquenta; encobre com seus reflexos a televisão. Desligada, a tela perde o negro de que são feitas essas caixas. Invadem-na as cores borradas de alguém a passar por trás do sofá: azul, laranja, bege, são elas a combater, há anos, o abismo quadrado contra o qual minha mãe se joga. Sou eu a entrar na sala, a verificar se aquele corpo ainda lá, se minha mãe. Qualquer um que tente acompanhá-la enquanto assiste aos programas do canal 4 não sabe se o que vê é o apresentador do domingo ou o próprio corpo no sofá, refletido na televisão. A transparência com que as coisas se atravessam e tornam-se uma, a mesma: ela minha mãe.

— Mas o que é isso, Jandira?
Estupefata, minha mãe olha ao redor: a janela marca agora uma moldura ao redor da televisão. Ou seja: do mesmo lado, rente, junto. Sem contradições. Já não há reflexos: o cubo negro está, todo ele, em contraluz. Jandira mexeu onde não devia. Jandira o mudou de lugar.
— Para a senhora enxergar melhor.

O fogão ficou claramente grande para nós as duas. Ele lá fechado, uma toalha de renda por cima. Na geladeira, a comida velha: bifes, sobras de abobrinha, alho. Minha mãe não quer acreditar, então manda fazer carne de panela, feijão preto, vagem ao vapor. Se a empregada faltar ou estiver de folga ou ainda não tiver terminado de tirar o pó, ela mesma cozinhará, no fogo alto. É muita a comida e por isso ela prepara marmitas às Ludimilas e Jandiras e Elviras que levam aos filhos de

Piraporã e Taboão da Serra e Deus nos acuda Deus me espera. Depois cansou-se e comprou um micro-ondas.

Menina assomava à cozinha para ouvir a conversa das seis bocas do fogão.
Não entende por que lhe deram bocas, se nenhuma responde.

Cavoucar a pele vazia atrás de vida,
atrás
o calcanhar vacila no chinelo de dedo,
a blusa pequena não chega   ao pulso
a menina cresce
mas a vida é
        tamanha
verteu
sobre tudo. O tamanho da vida é para onde oscila meu coração.

— Jandira, deixa essa escova. Quer assistir a novela comigo?

Ela não aguenta mais, minha mãe. Quer quebrar-se, mas não pode. Porque é mãe, porque é ela, porque é forte o bastante para morrer atada aos seus postais.
— Nem para me mandar uma foto dele.
Por fim, ela se queixa do filho.
Havia passado os anos a interrogar qual caminho teriam tomado as linhas entre o queixo e o nariz do filho, as pregas das mãos, dos olhos. E o que via eram as crateras do Canyon. Depois desse dia, minha mãe abandonaria os postais; seriam

agora apenas ela, a televisão, o controle remoto, as dores nas costas.

Eu não converso com gente,
não. Ao redor,
as paredes
de costas para mim.
Em frente, uma lâmpada
brinca de fogueira: acesa a noite, me estendo.

Ela queria uma casa de praia, mas a hipoteca em São Paulo mas as contas atrasadas mas a passagem aérea sem avião mas o cimento roubado na obra parada em Ubatuba mas a pressa com que a vida lhe acometia lhe escapava mas a costureira do beco de terra fechou o ateliê sem avisar e agora a mercearia virou igreja evangélica mas o que se ouvia em casa não era música clássica, eram cinzeiros e demora.

A casa cresceu para os lados, como um canteiro de obras, como catapora, espalhando cadeira mesa maçaneta. O jardim de inverno à frente simula nossa derrota.

No dia em que minha mãe chamou a empregada e lhe disse:

— Não é preciso mais você vir.

Ela chamou a empregada e disse:

— Jandira, quero falar com você.

Ela chamou a empregada e disse:

— Tem que ir embora.

Ela chamou a empregada e foi o que disse:

— A casa cresceu demais.

Menina entende desde cedo: que as roupas encurtam, mas a casa de infância sempre se alarga.

IX.

Os homens não quiseram vender aquela outra casa. Dava para uma rua íngreme, as velhas subiam com sacolas de compra e rangiam vozes contra os carros doidos que respingavam poças de chuva. Todos moravam na rua com a naturalidade das plantas autóctones e a afinidade das abelhas ao pólen e a simpatia do domingo para com os jornais gordos, só Deus saberia que em vinte anos empreiteiros comprariam o quarteirão para erguer o colosso. Business Center Santiago. Bem ali, em frente à loja de artigos para festa. Todos assentiram. Seu Gilberto e outros bertos do tecido fonético de São Paulo, à prova de balas e cinzas e metros quadrados. Sobrou uma casa, contudo, e dentro uma família de pais e filhos. Ao que parece. Porque sempre viveram no bairro, porque sempre as cartas chegaram nesse endereço de rua vertical. Por isso não assentiram. A mulher tentou convencer o marido: "Melhor uma casa na avenida: com ponto de ônibus, posto de gasolina, papelaria". O marido discordou. Quer dizer, seguiu pedindo orçamentos para reformar o telhado, recusa idêntica a não fazer as malas. Toda a vizinhança safou-se a tempo. Foram-se os amigos dos filhos e gaiolas com papagaios, periquitos, canários. Um jabuti. Foram-se todos. Os filhos não queriam ficar sozinhos, os únicos. Ficaram. A família ficou, enfim. Mas sabe como é. Os empreiteiros não perdoaram. Compraram tudo, metade do céu é deles e fala inglês. Zumbe em língua de vespa Biuzniss e entorta-se o Center ao sotaque paulista. Biuzniss Center é uma catedral contemporânea com elevadores. Coloniza o quarteirão com um longo muro branco, e ao chegar na casa pequenina da família ao encontrar a arquitetura petulante de casa em uma cidade de prédios ao chegar nessa vivenda com ares de rancho devido às samambaias no minúsculo jardim: desvia: faz ângulos retos: contorna. Casa com lepra. Já não será mais possível vendê-la. Porque é a única casa no quarteirão tomado pelo edifício e seu muro, é uma migalha uma pedra um pedaço de merda. Os filhos desesperam-se. Os anos. A casa vale menos que o espinho de sardinha enlatada. Com os anos. Os filhos. São os herdeiros de uma família agora morta. Morreu a mãe. Diabética. Em seguida, o pai. Cardíaco. Os filhos ficam. Raios. De novo. Estão sempre a ficar. Decidem. Encomendam uma placa. Com: um número de telefone. Com: um verbo. Com: um nome entre parênteses. Uma placa completa: *Vende-se 2953-2341 (Mauro)*. Ninguém a vê. Encomendam uma faixa. Com: um verbo, uma frase, um telefone. Mas: sem nome. Apenas: *Vende-se. Direto com o proprietário. 2953-2341*. De vergonha, a sombra do muro alheio sobre o telhado, descaro das gravatas que riem à toa à saída do grande colosso financeiro. Vende-se. Vende-se. Vende-se.

Todos comentam. Sabe da história daquela casa, encostada ao Business Center? Lá para os lados de Santana, sabe? Todos sabem. Todos comentam. Minha mãe comenta. Ela tem medo que. Isso também lhe aconteça. Primeiro acusou o muro, a cada dia os tijolos tapavam-lhe mais as vistas: Olha só, esse muro maldito nos arrancará quinze por cento do valor desta casa. Maldito. Quando o muro ficou pronto, refez os cálculos: Vinte e cinco por cento, ouviu? Esta casa perdeu vinte e cinco por cento do valor. Muro maldito. Ela assim o disse. Logo quis apressar a casa de praia, assim ao menos nos sobraria algo. Depois que o filho desertou, sobraria: a casa de São Paulo a valer metade do preço. Sobrariam: espaços por todos os lados.

Na época do terreno da praia, minha mãe fazia inspeções. Antes de decidir mandar tudo às favas e pagar a um roceiro para carpir mato; às favas, como dizem em Lisboa. Antes de não mais pedreiros, de apenas um roceiro que cuidava de não invadirem o terreno. Espécie de caseiro sem casa. Mas ainda não. Antes disso, minha mãe ainda acreditava em revistas de consultório, nas páginas avulsas roubadas nas longas horas em salas de espera. De tanto frequentá-las, às salas, e roubá-las, as páginas das revistas, minha mãe desenvolveu um idioma. Por exemplo. A sua caneta escorre pelo chão da casa de praia que ainda não é casa, é só chão. Apenas: uma caneta escorre. Se fosse um carretel seria mais engraçado. Mais trágico. Rolaria. Mas era uma caneta sem tampa. Dessas que deixam marcas azuis nas mãos.

— Desnível — aponta minha mãe ao Zé.

Zé é um dos homens da obra. Podia ser João Joel Josué. Zé acusa as vistas da minha mãe: vê torto, tudo trocado. Acusa a caneta. O mau tempo. O ajudante. Tem que nivelar. Mas Zé prossegue. Prosseguem com ele o cimento e o desnível. Minha mãe, descontente, aceita.

— Pelo menos não rouba — ela me diz.

Não rouba: tijolo, cimento, areia.

Minha mãe contrataria mais, e outros, e novos, e sempre me parecerão os mesmos. Ela fala deles como se o mesmo e um único. Talvez fosse João, e não Zé. Ou talvez fossem outros, vários. Dentes atravancados, a boca um imenso ônibus em hora de ponta. Cabelos obstruídos de nós.
Talvez não fosse João nem Zé, mas Genivaldo. Ou Valdo, apenas.
O suor move-se pelos caminhos do rosto.
Diziam que viriam, mas não vinham.
O rosto adestrado pelo pó.
Eles sempre algum outro encargo, sem nenhum contrato, reapareciam lá para o fim de maio ou agosto ou retângulo, sem deixar recado.

— A senhora precisa é de um arquiteto — diziam.
— De um engenheiro — diziam.
— De um mestre de obras — diziam.
Disseram por anos.
Em algum momento, ela abdicará da decisão de contratar mais pedreiros e chamará um arquiteto, mas desistirá antes de ter terminada a planta da casa na praia que o arquiteto inventava.

Em São Paulo, o muro comia-nos vivos e não havia maneira de. Esgueirar-se pelas laterais. Impermeável. Ela assim o disse: "impermeável". Quis acelerar a casa de praia, mas os homens das obras eram todos lentos como o cimento quando seca. Ela tinha pressa. Prestou atenção aos vizinhos: os que se mudavam sem avisar e os que vinham devolver uma furadeira antes da mudança. Poucos ficavam. Teve medo: "Vai acontecer como no Business Center".

Não daria tempo.

Ela morreria antes da especulação imobiliária chegar ao nosso jardim de inverno, antes de uma casa de praia.

O terreno da praia deve ter ficado às moscas e ao mato. Quando voltar, eu o procurarei.

Caminharei lá onde o caseiro. Baterei palmas. Deserto. Chamarei em voz alta. Ele aparecerá. Virá um pouco árido, as pupilas tardias de tabaco. Me apresentarei. Percorrerei sua fisionomia cabocla, sem aclarar a memória. É tempo demais. Ele tampouco reconhece meus olhares. Apenas quando digo o nome da minha mãe, ela que tinha um nome tão incomum, nome de rio, um rio quer sempre ir embora para o mar, nome que acende lâmpada e pede que se repita, todos gostam de ouvir. Ele arregala a boca num longo Aaaah. Elogia a valentia dela, uma mulher sozinha nesse cafundó. Ele afasta o seu cachorro velho com os pés. Pergunta. Eu digo. Ele arregala a boca em um longo Aaaah. Os pêsames. Grita para dentro de casa, a voz atravessa a porta de miçangas. Pede um banco ao neto. Fica calado. A cabeça enverga junto com as dobras da testa. Diz que está velho.

Os dedos aduncos dos pés no chinelo de dedo. O homem reclama. Cansou de ligar para São Paulo, avisando a senhora para vir ver o terreno. O mato subiu até a altura das árvores. Ele ainda tentou capinar debaixo do sol, de vento, mas, enfim, envelheceu.

Ficaram dois muros começados, oitenta quilos de cimento nos sacos. Uma casa é uma casa quando filhos, arruaça, praia. Uma casa de praia mas o filho tão longe a perder de vista não é uma casa: é uma cela. Minha mãe não venderá o terreno, contudo. Porque nunca se sabe. Se o caçula voltar haverá de ter vistas para o mar de Ubatuba. Isso se não levantarem um muro em frente.

Eu lhe dizia que nos Estados Unidos havia: praia
montanhas
desertos
Uma casa no litoral norte de São Paulo talvez não fosse o que meu irmão mais precisasse. Para voltar, ele precisaria de:
trabalho
contrato
vontade
Minha mãe retrucava. Para ela, apenas no Brasil haveria: uma casa de frente para o mar em Ubatuba. Apenas no Brasil: São Paulo e um quarto reformado com chão de taco. Ela tem certeza. Para o filho voltar para casa, ele somente precisaria de: alguém que lhe esperasse: uma mãe: uma casa.

Se tu antes.
Como poderia eu?
Foste, safaste-te a tempo, as sobrancelhas de foice e os remendos de um riso torto. Não, eu não. Eu jamais poderia deixá-las: a mãe, a casa.

Mas é preciso, é urgente que eu.
Sair, saltar.

Eu sei, sabemos os dois, eu e o muro: esta a casa minha. Caí, lacrou-me dentro.

Mas é preciso, é urgente
: aproveitar o sono de minha mãe, ela que dorme acordada no sofá, já nem se encosta no telefone, agora ninguém mais liga, não há mais sequer Jandiras.
Aproveitar enquanto tudo isso para saltar.

Eu vou, eu piso na calçada babélica de alturas e cores, desvio de cestos de lixo e de uma senhora a esfregar com vassoura piaçava a sujeira dos cães.

Eu, que imitei caligrafias como se imitam as palavras-chave de artigos científicos — meus utensílios de sobrevivência: boa tarde, com licença, obrigada; eu, que aprendi a imitar quem me gerou, a escada rolante despenca e meus pés sobre a faixa amarela no metrô, eu vou à loja, eu vou, eu pego um ônibus que me deixará diante de uma poça d'água após vários golpes contra os buracos no asfalto, eu faço baldeação na linha verde do metrô. Desembarco na estação errada e ando quarteirões de pessoas e de lojas a cuspir à rua suas vitrines com biquínis, saídas de banho e guarda-sol. Entro. Chama-se: agência de viagens. Poderia se chamar: aviso de incêndio fratura de placa tectônica.

É para quando, moça?
— Para breve.
É para onde, moça?
— Para longe.
Vou estar oferecendo nosso pacote para cruzeiro com pensão completa com destino a Salvador.

Eu vou para a Avenida Tiradentes lá onde Judas perdeu as botas as meias a estribeira. São Paulo me acomete de um murro: estou fora, internada na cidade em pó, entre edifícios e uma fome ancestral. Se houvesse ao menos uma ponte em que, se houvesse um rio para onde, ou mesmo um verdinho, eu penso tu pensas ele pensa
nós pensamos mas logo esquecemos. Verde, só a linha do metrô de onde saem em disparada os engravatados e mulheres com sacolas por todos os lados em cima embaixo dentro das roupas dos sutiãs penduradas nas orelhas. Mas agora estou na linha azul porque outra agência pelas redondezas.

É para quando, moça?
— Para o vermelho.
É para onde, moça?
— Para o meio.
Gosta do Pantanal?

Meu irmão escapou
a tempo: de não voltar

Esqueci de dizer-te
o quanto
a ti, meu irmão
cheguei a ensaiar a fenda da boca rasgada, mas me calei.

Quando voltares,
sendo longe: traga as chaves. As paredes de casa ficaram para sempre trancadas.
Se for hoje: entra e me espera.

É para quando, moça?
— Para março.
É para onde, moça?
— Para sempre.
Tem Miami. Brasileiro adora. E tem Lisboa.

Pergunto os detalhes. Não os preços: quero os nomes das ruas, o sotaque. Prometo pensar. Penso. Volto. Voltarei outras vezes. Em busca de: nomes das ruas, a sintaxe.
— Melhor esperar a primavera — me despeço.

É uma tragédia, um naufrágio. Quero apenas alcançar a calçada. Fazer da vida um ofício: levantar, arrematar o carrinho de feira, ir às frutas. Nomear: acerolas, abacates, peras. Peras. As peras têm triste linhagem. Então me levanto, eu vou à feira, hoje vou, e sempre, e mesmo se vier a chuva estarei abrigada pela ideia remota de pisar a calçada, estar deste lado da vida, eu avanço sobre as barracas alinhadas, são dos combatentes, eu avanço em sarja e tento e peço e não consigo soletrar, perco-me na aliteração da papaya, eles desentendem, oferecem seus braços inteiros em arrebatamento atrás das placas que mudam, eles as mudam, os preços cambaleiam: o quilo é 3, é 2, é 1; desfilam a faca que transita de mão em mão, vai ancorar na manga, eles a esticam em cortesia até mim, na mão aberta a fatia aberta da manga. Toma. Prova. Eu a roubo da claridade desse dia infernal, e quando surpreendo-me com o amarelo entre as mãos — ouço: a abertura: o amarelo é latitude aberta de vida —, mas não tenho gesto, sou estática para o acontecimento de tê-la, a vida, entre uma casca vermelha, o fruto amarelo e a pele: deixo-a cair. Estão furiosos, eles ultrajados me impõem nomes os mais vários em tática de guerra, dois por um, vai levar a manga ou não vai levar ou não vai levar vai levar ei minha filha eu não tenho o dia todo é manga é mamão é jabuticaba. Trombo com palavras arbitrárias, eles enfim satisfeitos, da minha boca muda brota a cadeia dos fonemas que lhes interessa: tomam-na por dois quilos de goiaba, um de limão. Eu me substituo às palavras. Deixo ficar o troco nas

mãos que me entregam sacolas plásticas. Socorro-me nelas com lassidão, nas sacolas, porque elas, as mãos, desocupam-se de mim, sou agora uma mulher com sacos plásticos que anda pela multidão de gente e laranjas.
Alguém atrás puxa o carrinho de feira cheio de *nãos*, deixo-os passar, os *nãos* multiplicam-se e rimam com as frutas da estação, nos trópicos é sempre a mesma estação e não há romãs aqui, há mamão e a mãe com seu filho, embirram-se os dois, ele pede isso, pastéis, pede aquilo, coco queimado na barraca dos doces, aquilo outro, goiabada. A mãe lhe diz *não*, lhe estende um ramo de alecrim. E ele chora.

Raivoso, atira o ramo na mãe, que se volta, abaixando-se para pegar o alecrim. Ele pisa-lhe a mão. Ele é uma criança a pisar com fúria os dedos da mãe, e se pudesse. Quem sabe? Se pudesse.
Toda criança nasce com a tez malvada.
Eu lembro bem: água e sal, sal.
As mães também.

É preciso
largamente
é incurável
— sair.

É agora, é agora que eu vou
        voo noturno   voa a asa
doida
de uma pétala
aeromoça, aeroplano
longe América. Ficarão as linhas duras
férreas, também as rodovias e o atlas
das ruas de mão dupla
glossário que intercepta
          minha a fuga
mãe esticada no sofá confabula insônia
           voo noturno
                  sem escala, sem tomada, sem retorno
incluído: fuso horário, comida a bordo
proibido: cigarro, gritos, medo
de voar, de altura

medo de não conseguir voltar.

Eu fazia planos: véspera do dia em que de repente. O salto, o pescoço vergado ao alto, sou um *finalmente*; São Paulo não me governa mais, cruzarei o planalto, meu único acontecimento é um arranque grande viragem sacada pulo, tudo tão rápido e o peito largo, eu desapareço, se não há mais trens eu irei de

avião, um bilhete para Lisboa e terei cruzado o século, a casa ficará aos ratos,
eu sou desde a calçada, a casa
é já uma sinopse do outro lado da rua, mas eu, mas ouve, *finalmente*, quero esse requisito das conversões, advérbio que premia o escape
, mas nota com que força a noite
com que força ela, o dia alucina e eu não ficarei para trás, a força com que ela chega à solta e esse sol que outrora a pino, a frase é longa e de viés, como poderei completá-la com tão pouca monta, os termos em combate são trinta anos trinta e muitos anos trinta e nove anos contra toda a vida, todas as vírgulas são para tropeçar, eu, sou, meu, subterfúgio, as vírgulas hão de despistá-la, mas não, mas ela a noite me tutela, o aguaceiro que inundou a tarde me terá delatado, ela lança guardas em número muito maior que o peso de meu passo no ar, mais um pouco e a terei varado, a noite, mas eu, eu suspeito se conseguirei porque
porque falta uma parte do fôlego
e meus
joelhos
despencam
loucos
já sei da dor nos calcanhares: terei dado um passo em falso o punho cerrado será difícil manter-me em suspenso
, os vincos de suas mãos são agora mais precisos: é ela, sim, é ela louca, quer-me de volta ao quarto, ela é esse teto baixo onde leio o último versículo de um sol que acaba, um sol ruivo, terei dado um passo em falso, sim, porque.
Estou aqui, de novo no lugar onde nasci.
: arrebento os olhos para evitar sua cólera, com que força ela minha mãe. Mãe, deixa-me ir.

É preciso é fictício é imperativo é solstício é mais um equívoco
:
fugir, fugir.

X.

Enfim saí, saltei.
Devia ter sido à socapa, porque o vento rondava os quintais.
Ou talvez tenha sido em março.

O vento me havia comido parte do rosto e das mãos.
Eu retalhei o ar
com o coto que jazia junto ao braço
eu sem rosto
esquartejei o ar
a voz em carne viva disse Adeus céu de merda
e avancei sobre o que restou
de comida: os fiapos
do dia
nos dedos
no parapeito da boca.

O vento me havia rebentado o ventre,
as comendas, os dentes de mamífero,
e se incrustou (carbonato de cobre) às retinas.

Bateu portas, janelas. Levou consigo as cortinas de zinco.

Eu, sem passaporte,
entrei.

A primeira coisa que fiz ao chegar em Lisboa foi recusar o fuso horário. Mantive as horas do relógio ajustadas às de São Paulo. "Isso só pode ser coisa de louco" "Dá cá que eu te arranjo esses ponteiros" "É só apertar o botão ao lado" "Toma lá a morada de um relojoeiro na Baixa" "A menina não sabe ler as horas?" Disseram-me.
Cinco e vinte era a hora em que nunca os pássaros em revoada, porque no norte era tarde demais. Nem os carrinhos de pipoca na calçada, disputando espaço com os cotovelos das pessoas no terminal Santana. Quando o inverno chegou em Lisboa, a idade dos carvalhos tratou de afastar os ponteiros. Lá, os ossos esburacados sob a chuva e um absurdo de cachecóis enquanto no Brasil minha mãe, de tanto calor, lavava-se na pia do trabalho.

Fui a Lisboa, mas a chave de casa andou sempre comigo.

Aproprio-me da terminologia da cidade: beco, escadinha, travessa das Amoreiras a Arroios.

Por muitos anos alimentei a ideia de morar numa cidade verossímil de cores, e foi assim que parei em Lisboa, onde tudo é branco, e cinza, e azul. Que cidade é essa que ruiu com um terremoto? Precisava ir, precisava chegar em Lisboa, como quem vai a Pompeia ver o que foi da cidade enterrada. Mas o que me será dado a conhecer, o que encontrarei não será diferente — em nada, nada — da estupefação de um espectador de Mona Lisa, fazendo fila diante de uma grade, por oito euros ou trinta e dois na minha moeda que vale agora um quarto, à espera de chegar sua vez. Quando chegar sua vez, o que fará? O que faço com a vez que me chega, se não tenho mãos para saudá-la?

Uma malharia espremida entre uma loja de copos de vidro e um antiquário. Entro para trocar dinheiro. Disfarço as intenções e decido comprar algo barato. Peço para ver alguns botões de madeira em exposição, como os que outrora. O dono abre o balcão e mos mostra. Pago dois botões. Ele aponta para as

roupas de fabrico próprio. Pijamas, camisetas. Tem a certeza de que gostarei de alguma. Abre-as sobre a tampa de vidro do balcão. Eu as apanho no colo das mãos. Inspeciono as barras das mangas. Em criança, eu perseguia o zigue-zague da costura no pano. Pergunto ao homem quem alinhava a borda do vinco. Se era também uma Singer.
O dono da malharia chama a dona da malharia. Ela surge do fundo da loja.
— Singer, sim — ela diz. — A menina conhece bem.
Eu, apoiada ao balcão, não respondo. Os dois acercam-se. Medem minha altura. Penso que querem tirar as medidas e pregar-me alfinetes.
— É bonita.
Diz o dono da malharia.
— Sabe vender?
Pergunta a dona da malharia.
Afastam-me do balcão. Colocam-me em pé no centro da loja:
    uma planta decorativa
    uma placa de trânsito vazia
    uma brasileira a sorrir aos clientes
A partir de então eu deveria mostrar aos clientes: pijamas, blusas, roupões.
Eles também me pediriam para vender: zíper, elásticos externos, colchetes, botões de madeira, de acrílico, linhas.
Por medo de contaminar-me com os carretéis de minha mãe, não ouso. Retiram-me o emprego depois de duas semanas: eu não sabia dobrar as roupas, abrir a boca. "Meu polegar falha", digo.
Eles não me entendem.

Lisboa é um varal onde as velhas estendem histórias díspares: meia marrom com camisa verde de listras: João, que foi para Angola e por lá casou: Inês está de férias com o miúdo doente, nem pôde viajar: Rita fartou-se de engolir sapos e falou mal do patrão, pelos vistos perdeu o emprego.
A única afinidade das roupas é terem sido esquecidas para secar na mesma corda.

Aproprio-me da terminologia das casas: pátio interno, aldraba, claraboia, cimalha, casa de banho.

Entro. Também eu visito casas e apartamentos em exposição. Esta casa aqui é estreita. Mas eu gosto. Se abrir os braços, não chega. Não tem problema. Eu não vou abrir os braços. Gustavo de Matos Sequeira foi um olisipógrafo. Rua Gustavo de Matos Sequeira, oito meia. Aqui não há meia, é tudo seis. Oitenta e seis. A sala abre a nordeste e o sol vem se poisar atrás, onde o Tejo e os braços de um Cristo Redentor. O senhorio explica as chaves: da porta, do portão, da garagem. Digo: "Não tenho carro". Ele confere de novo: chaves da porta, do portão, da garagem. Para o caso de. Nunca se sabe. Há fogão, lavadora, geladeira. Falta comprar cama. Não tem problema. Eu me arranjo no sofá. Apenas cobrirei o dia com persiana para o caso de algum muro assomar-se ao parapeito: pois não sou de conversa: pois não me calha bem conversar com muros. No sofá lerei os braços das plantas, há sobre a mesa uma versão europeia de samambaia e uma tradução de *Odisseia* que não presta. As plantas são do antigo inquilino. Seu Manuel teve pena de deitá-las fora. A *Odisseia* é dele, mas faz questão de deixá-la na casa, diz, e enfatiza: "Uma prenda para a nova inquilina". Nunca se sabe.

Acomodo ao tamanho de meus óculos o vocabulário das cartas que chegam para antigos moradores: Cumprimentos, Meus cumprimentos, Melhores cumprimentos, Despeço-me com votos de bom ano a si e aos seus, Peço-vos aviso de receção desta mensagem.

Aproveito o despertar de uma nova vizinha, ela martela oito horas da manhã com o salto alto, rangendo as bordas do chão de madeira velha, aproveito e também arranjo minha retirada. Pego apenas uma bolsa a tiracolo. Como quem diz: "Vou comprar uns tomates". Não sabia bem para quê. Sabia que tomates, que iria comprá-los. Como quem diz: "Vou lá comprar uns tomates e volto já". O outro responde: "Traz também uma salsinha". "Tá bem, volto já". Como quem diz. "Eu vou". Como quem só quer dizer. Vou dar uma volta. A parede responde: "Não vá perder-se, não vá tardar". Não tardo. Eu vou, enfim. É só estender o braço para o vendedor. Não é preciso saber a espécie: tomate caqui, holandês, italiano. Basta apontar: "Daqueles ao fundo, mais vermelhos". Se não tiver braço, aceita-se com embicar o queixo à frente: "Aquele ali". Um queixo pontiagudo e basta. Saí para comprar uns tomates e já volto, mas aqui há poucas feiras, aqui há mercados: Alvalade, Alcântara, Arroios. Aqui, veja, as mangas são animais de dois grupos: as de via marítima e aérea. Todas meio duras, por fora são verdes ou amarelas. Fui comprar uns tomates e terminei sem tomates nem mangas nem salsinha.

Chego em casa. Os móveis me esperam. Anunciam um motim: começam a mudar de lugar. Havia deixado o guarda-chuva atrás da porta. Não me serviria de nada até a próxima estação, agora o calor era longo como um rio que entope a pele. Talvez o guarda-chuva ainda me servisse para proteger a cabeça do sol, apesar de se tratar de um guarda-chuva preto e o preto, dizem, absorver mais calor. Em todo caso, estava ali, parado. Já não está: fui encontrá-lo na cozinha. Jamais me esqueceria se tivesse sido eu mesma a mudá-lo de sítio. Parece-me também que o aparador da sala moveu-se ligeiramente à direita. É o que me parece.
Esforço-me. Dentro de nada, a casa volta a ser. Bastará devolver o guarda-chuva ao seu posto costumeiro, o de um almirante à espreita atrás da porta, e empurrar de leve o aparador para a esquerda. Fá-lo-ei.

Ouve a minha sintaxe. Lisboa me pertence e já não há mais. Sou tão do passado quanto o meu futuro é ontem. Da minha pronúncia sairão rolando elipses. Manter-me-ei direita, no meio estará o pronome; no fim, a infância.

Em Lisboa, os telhados cor de barro rimam com o poente, que também tem manias de terra.

Chego em casa. Os móveis me esperam, amotinados. Estão sempre a mudar de lugar. O melhor é ficar a vigiá-los.

Há qualquer coisa de profundamente cruel na maçaneta da porta. Ninguém pode chegar um dia e. Paf. Entrei. Não dá, não se pode: ela gira apenas por dentro. Ou seja, ela exige mãos hábeis, ou seja, mãos que queiram sair, ou seja, mãos vivas. Do lado de dentro: mesmo que maçaneta tipo bola, mesmo que somente girar, as mãos são recrutadas em toda a sua volta: para o atrito: rodopio: torcicolo. Um belo dia alguém acorda e lembra que não as tem, as mãos. Caso haja ao menos telefone: chamar o chaveiro que, sem possuir a chave, possui todas as habilidades e instrumentos para prescindir dela, tais como: cartão, pick, gazua, broca; chamar um ladrão que tenha aprendido com os melhores chaveiros a abrir portas; chamar algum parente que dirá "desculpe estou trabalhando não posso cruzar a cidade"; chamar os bombeiros. Em caso de não haver sequer linha telefônica: não se poderá ligar ao chaveiro nem ao ladrão nem ao parente. Nesse caso, gritar ao vizinho para quem demos uma cópia da chave na hipótese de alguma emergência, ou a quem não a demos por não confiarmos muito em vizinhos ou por nos sentirmos culpados em confiar mais no vizinho do que em um parente ou por estarmos em outro hemisfério e não haver parente apenas vizinho, ambos de se desconfiar, nós deles e vice-versa, sendo portanto um vizinho sem chave e desconfiado, mas que socorre quem está do lado de dentro e quer sair — no caso, eu. O vizinho orienta o morador no uso adequado da maçaneta de modo a proceder à correta abertura da porta; fá-lo com tal desenvoltura a ponto

de se poder mesmo chamá-lo, o vizinho, de abridor de portas. A maçaneta é uma bola de alumínio, basta agarrá-la — o vizinho tentará explicar por trás da porta. "Agarra-a, agarra-a", ele tenta explicar ao vizinho estrangeiro preso do outro lado — neste lado, eu — que nada sabe de portas — neste caso, eu. Contudo, a sintaxe que usa é antiga, tão antiga como um espanador de pó.
Não o entendo.
Caraças. A maçaneta parece-me uma esfera de metal tingido de dourado, um pequeno sol, e não me atrevo. Não quero me queimar. Mesmo se fosse um cabo, alavanca, taco de golfe, se fosse um gancho de madeira cor de lesma, de toda forma seria preciso juntar o polegar ao indicador e, como já disse noutras ocasiões, não faz parte do meu léxico.
Lá fora há isso: a parte da lâmina lisa e pesada que é a fachada da porta com a inscrição "Esquerdo" por cima, e o buraco da chave. La fora há Lisboa.

Não, não tenho a força humana do toque, abarcar a vida. Dói-me ver o beiço do martelo sobre um prego, o trabalho detalhista — escultórico — dos anos em meu corpo.
É por não suportar essa espessura de vida, por faltar-me o talento — o meu é um habitat sem espécies, abstrato como uma tela onde não se enxerga sequer a forma geométrica que a engendrou — é por não desposar de mãos que eu contemplo o cotidiano alheio, acompanho de longe as pessoas no reflexo dos grandes vitrais foscos, elas mudam de tamanho ao passar de um lado ao outro das esquadrias. Estou em Lisboa, mas ainda não saí de São Paulo. Então me levanto e vou pedir um café.

Porque veja, essas grandes portas de vidro da biblioteca: são as portas da minha casa.

Chego em casa, e os móveis me espancam.

O mais estranho — o mais estranho é que eu ligo, eu pego o número, eu digo em voz rala, tossindo:
— Seu Manuel,
Dou os detalhes. Aviso prévio.
Não digo:
— Aquela outra casa veio parar aqui.
Digo:
— Me enviam para Almada. A trabalho.
Não digo:
— São esses móveis.
Digo:
— Almada é fora de mão...
Não digo:
— Esses móveis sempre a mudar de lugar.
Digo:
— Vou buscar casa por lá.
Seu Manuel, espantado: — Não faz nem dois meses, e a menina já vai?

Entro.
Esta outra casa fica na embocadura de duas ruas. Quer dizer, casa não: apartamento em prédio de poucos andares. A janela dá para o Beco dos Três Engenhos; a porta, para a Rua Guia.
— Não serve. É muito pequena.
Não digo:
— Parecida àquela. À outra. À casa de sempre.
Digo apenas:
— Pequena.

Perco-me nas calçadas que ofuscam a marcha, tão brancas. As paredes das casas também: brancas. Garças, roupas, pombas. E esse sol que pondera longamente sobre meu jazigo. Pergunto nos cafés sobre casas em exposição. Dão-me as chaves, dizem: "A menina pode entrar, quinto esquerda". Comem pedaços de frases. Não dizem: "É um quinto andar, à esquerda, sem elevador". Apenas: "Quinto esquerda". Como se fosse muito óbvio a todos, mesmo a mim, estrangeira, como se fosse Quinta Avenida. Às vezes me estendem um papel com o número: do dono, do filho do dono, do neto do dono que aluga. Ligo, meu sotaque comete denúncias imediatas. Por vezes os donos assentem, dizem: "Está bem, a menina venha à morada amanhã às nove".

Prefiro não entrar.
— Mas a menina não vai ver a casa?
Estava bem assim. Dava para ter uma ideia. Por fora.
— Mas não quer ver os armários, testar o colchão?
Não precisava. Sempre fui de confiar nas pessoas.
— Não quer nem que eu mostre como ligar a água quente? O inverno vai chegar.
Eu mesma o faria, obrigadinha.
Escolho. Fico com a casa. Sei que ela durará pouco.

Distribuo minhas intenções em anúncios colados às paredes do quarto: procuro uma casa para relação séria ou de mentira. Moradora com altura mediana. Pouco domínio do salto alto. Por isso: sem barulho aos vizinhos, sem estragar o piso. Promete não incomodar em caso de. Emergência. Peso: cinquenta e dois quilos com possibilidade de melhora. Cabelos: cheios de nós como os das crianças. Gosto por Ana Cristina César Marina Tsvetaeva Alejandra Pizarnik Sylvia Plath Anne Sexton e pelas outras que não tiveram coragem de. Promete não se matar antes dos quarenta e cinco. Sempre falta algo na despensa e o mercado é tão longe, sempre falta alguém na mesa. Um dia passará a comer no sofá, o prato no colo. Empilhará as cadeiras para disfarçar solidões. Forte tendência a autocomiseração. Formação de base: copista. Prefere visitas com hora marcada. As visitas nunca aparecem. Dezesseis tentativas frustradas de mudar da casa onde nasceu. Dezesseis, não: de-zas-seis.

Primeiro esquerda, Quinto esquerda, Terceiro direita. Esquerda e pronto, sem nada.
Os móveis continuam o motim.
Fingem-se santos: a mesa de centro, quadrada, curva os lados para formar um círculo. Agora é uma mesa de centro redonda. Diz: "Para te proteger dos golpes nas quinas". Mentira. Roupeiro,

poltrona, sobre a geladeira subiu um rádio que devora as peras. Não é possível, não é verossímil. Como se: eles: os nossos.

Decido alugar uma casa sem mobília. Nada que venha me estorvar. Já não assinto o mobiliário dos inquilinos antigos, sempre a zombar de mim, deles ficarão apenas as chaves. Agora viverei em um rés do chão. Deste lado da vida tudo vejo e nada sou.

Acudo ao antiquário. Peço para ver: gaveteiro, bancos, prateleiras. Falta-me o vocabulário. Aponto com a mão: não, com o braço: não, com o coto que me sobra. Aponto com os ombros. O nariz solta espirros de madeira. Saio com uma cadeira entre as mãos.

Mobiliarei os cômodos todos, mesmo que poucos, fá-lo-ei do chão às paredes, e inclusive o teto, segundo o meu gosto, mandarei botar nele gesso com ornamentos, não me importa se desde fora ninguém o veja, basta que desde dentro se pareça a um edifício barroco. Não me importa que o barroco seja a agonia de cair, ver-se tão alto e já saber: rolaremos. Eu não sucumbo, porém. Manter-me-ei em pé, e daí o desvario. Não me importa que Lisboa não se pareça a São Paulo. É, aliás, justamente essa oposição que me agrada: confeccionar uma casa em nada parecida àquela. Porque todas as casas onde habito são as casas de minha mãe.

Trago as espátulas com que rasparei a pátina que se acumula no dorso e nas costas dos armários comprados de segunda mão. Depois será a vez de escolher a nova bancada para a cozinha. Esforço-me. Dentro de nada, uma nova casa. Bastará com a mobília exata.
Não, nada de gesso. Será melhor assim: um teto de madeira, como está, e pronto.

Eu deveria ter suspeitado. O teto de madeira exibe algumas ondulações inacreditáveis. Seria preciso chamar testemunhas para dar conta de tamanha coincidência. Decido pintá-lo. Do teto chove uma garoa espessa e branca, ela mancha meus ombros. Tardará em secar, porque a janela fechada. Durante o dia, bem poderia eu arreganhar as venezianas: mas não sou de conversa, pode passar o amolador de facas em sua bicicleta, e eu terei de assomar ao parapeito para cumprimentá-lo. Pode passar um muro e plantar-se à minha frente, querendo conversa. Prefiro assim: janelas fechadas: nem conversa nem noite: porque, se acontece da noite entrar, seria injusto. Tanto trabalho para nada.

A textura errada. Será a tinta, o pincel, o próprio teto de madeira. Faz-me lembrar. É como se fosse. Mas não, não, é outro. Se houvesse estrelas fluorescentes, ao menos. Teria um sentido. Como se parecem, os dois: o teto de meu quarto, o teto desta casa. Como a testa de um filho à do pai. Eu não tenho pai; eu só tenho mãe, irmão. Repito-os. Depois de eu arrancar as estrelas, o teto do meu quarto em São Paulo ficou em carne viva. Eu ensaiei a leitura, por anos ensaiei lhe dar algum sentido. Nenhum. Inventei o cosmos para meu irmão não desaparecer. Também as paredes enlouqueceram. Poderia pendurar trezentos quadros que tudo seguiria com o mesmo cheiro de casa de infância. Agora, ao ver esse teto, com as marcas que a tinta não escondeu, eu reencontro o primeiro. É como se eu nunca tivesse saído.

Pancada. Ruído. Menina se assusta: um pássaro mata-se contra a porta de vidro.

XI.

Como se hoje, às sete da manhã, como se a lâmina da tua língua tivesse cortado as persianas brancas e daí em diante fosse só São Paulo, e não um agosto em Lisboa, eu colada aos muros feito um cuspe, amparo as canelas chicoteadas pelo sol, eu aquartelada no pouco de sombra, enquanto as coxas escondem-se no vão que sobra de um toldo de loja, como se essa
        cidade
calcária e toda   a desgraça
que ladeia as ruas mancas, como se
o que eu visse
            ao erguer o pescoço
não fossem
as roupas dos varais   roupas arrebentadas de verão
nem a neblina
        dos incêndios nas aforas de Lisboa
não fosse
um varal
na Rua do Arco de São Mamede,
mas o muro que mandaram construir para conter os gritos da minha mãe.

Como se mais tarde, às
sete e um quarto
da manhã, como se esse sol
quadrado
que as margens simétricas da janela despejam no piso
   ainda bem que uma janela para conter todo precipício de
um verão
esse naco de sol no chão da sala, tão correto, fingindo ser terno
de linho de inverno, como se ele fosse arrebentar, rompendo
a esquadria, e começasse por galgar paredes como faz o mofo,
e se estendesse até ao teto. Como se dali, alcantilado, como se
isso já não fosse Lisboa, mas São Paulo
e viesse inundar meus armários,
como se eu ouvisse
minha mãe a brigar com meus sapatos entornados no caminho,
quase me matam, ela diz, e é com essas palavras que vem ao
quarto notificar a chegada da manhã, beija-me como se a um
pássaro, apertando-me com as mãos, meu bico torto nasceu
para dentro, mãe, a asa me pesa só de um lado. Sou um pássaro
amamentado com bebedouros de plástico. Ela deixa o quarto
aberto e sai.
É manhã e meus olhos inchados de quem nunca acordou,
desço uma escada de degraus embriagados, vai lavar essa
cara, ela diz, essa cara de morta, e à frente as janelas todas de
olhos arregalados, eu encharco meu rosto na pequena pia do
lavabo à direita, é um lavabo pequeno onde cabem eu e um

rosto, tão cedo e meu rosto já com tantos remendos. Eu não sabia que minha mãe amanhecia. Fico a saber. Ela sai ao quintal toda vestida de manhãs, apesar das palavras de pedra, ela amanhecia e até mesmo um sorriso vinha aninhar-se na pele, mas logo me esqueço, pois é sempre dos olhos escuros dela que eu lembro, que são os meus, ela a me passar o saco de pão eu pego um pedaço eu me curvo à xícara ela a queixar-se do açúcar empedrado eu me busco no fundo de um café maduro porque hoje sem leite hoje café e só vejo o cheiro preto que logo se abrirá como um turbante e cuidado, vai derramar, ela avisa, cuidado, ela diz, não falei? não falei?, eu tento tapar meu estrago ela, mãe, ela ainda vai matar-me de escuridão. Guardou as rosquinhas de coco para o filho que dorme porque o seu é um filho que dorme até tarde pelas dez.
Já passada meia hora ela vem e acusa o círculo na mesa de centro da sala:
— De novo?
, de novo, ela dirá, e seu dedo na órbita de um cilindro invisível, a percorrer o vestígio de um copo de vidro que estragou a madeira, custava botar o porta-copos embaixo, custava?, ela pergunta, e como se eu
   me assombrasse
com o corpo
magro
do cabideiro
da sala
a clavícula (aguda)
e as patas ao céu pedem calma,
no alto, apenas um chapéu
   e tivesse me erguido
ouço minha mãe praguejar contra a empregada que se atrasa, já é a quarta vez, minha mãe diz, enquanto mede a distância

entre os ponteiros, ela aguardará que eles unam as duas mãos em reza: será meio-dia em ponto quando concluirá: a empregada não vem hoje. Então começará a preparar o almoço. Mas antes vai à lavanderia. Sua voz é azul como o sabão em pó que ela agora inspeciona dentro da caixa de papelão. Em criança, eu: por que o sabão é azul e a bolha de sabão é transparente?

, como se esse tremor fosse do metrô que por fim chegasse
à beira de casa, incendiando abajur e aparadores, e não das
minhas mãos cruas
como se
se eu não estivesse
como se a manhã
não fosse.

Antes da empregada não voltar ela se chamava Leide ou Zita ou Dona Rosa. Tem o cabelo comprido como a escada de uma torre. Os meus também são encaracolados, mas não levam a torre alguma porque não podem crescer, sempre em posição de respeito, presos atrás, os meus são do tipo que minha mãe nunca quis: porque eu puxei ao meu pai.

Estou em casa. Não é possível: o sol vigia-me do lado de fora, ele me busca à altura do rés do chão. Não aguento. Sufoco. Terei de buscar outra morada. Os trópicos invadem Lisboa, eles me hão de matar.

Aguardo que os trópicos se afastem. Devasto meu rosto com a água calcária da torneira, atiro-me braços e olhos, entorno água pelos lados, não há ralos então: molho o chão e os sapatos. Os meus são sapatos sem cadarços, de couro, porque nunca aprendi a atá-los. Quando o verão passar, abrirei as janelas. Agora, não. Entrará o calor. Quer dizer: o verão já passou, são nove da manhã de outros meses que vieram, mas o calor acomodou-se em novo lugar. Outubro, e esse ardor carnívoro. Os trópicos contrabandearam Lisboa. Eu aqui, nem mais um passo. Devoram couves, peixes. Se ao menos um ar-condicionado, uma ventoinha. Nem sequer um leque. Aguardo que se aparte, saudade. Se ao menos São Paulo, a casa e o quintal e as bocas cheias de fiapos de manga jaca laranja.

À socapa, o outono mastiga os ramos. Bicho sorrateiro. Nós, debruçados às janelas — se as há —, não fazemos a conta: sobram galhos com vários cotovelos, em todos a estampa dos dentes do outono que logo é inverno; as folhas caem e varrem as calçadas com um ruído seco. São as vassouras piaçava do norte. Não fazemos as contas, porque aprendemos a. Contar, apenas: juros, quilômetros, dívidas. Certo dia saímos e percebemos na pele ouriçada dos braços que é preciso, é necessário. Voltar. Esquecemos qualquer coisa para trás. Se fosse moeda, o som do metal indicaria: foi isso; é por ali. Mesmo de sacolas à mão, nos dobraríamos em casulo para alcançá-la, romperíamos a marcha de pés alheios, meter-nos-íamos entre carrinhos de compra e a sarjeta para protestar: é minha. Se fosse vidro, saberíamos: rompeu-se, melhor sair de perto. Não sendo metal nem vidro, temos apenas a pele a nos mostrar, por baixo dos pelos do braço, que falta qualquer coisa. Entendemos. É preciso voltar para buscar uma blusa. É outono. Mas a pressa, então. Deixa para lá. Amanhã não haverá dúvida: frente fria. Logo o cachecol e as luvas. Com os dias e as semanas o vento aumenta e agora já serão várias blusas, umas por cima das outras. A sintaxe flutua entre o sul e a casa norte. Minha letra se camufla na neblina das castanhas. É inverno em Lisboa.

A chuva engrossa.
Vindo da cozinha, o apito da panela de pressão anuncia: está pronto o feijão preto. Não me acostumo: aos peixes, às couves, aos javalis.
Enrolada na toalha, pés descalços, vou à cozinha desligar o fogão; é pequeno: quatro bocas. Está bem assim. Uso sempre uma, a mesma: à esquerda, ao fundo. Dava mais jeito se fosse a primeira, maior e mais perto. Mas prefiro: ao fundo. Assim não me queimo. Ao chegar ao pé do fogão, desligá-lo, sem largar o frio nos pés, eu abro a panela que já não é de pressão, eu lembro: é apenas uma sopa de legumes. O feijão preto mora nos trópicos.

É inverno em Lisboa. Não fosse essa distância, o sol que, dizem, deve chegar para a semana, quem nunca o viu se engana ao pensar: essas cinzas durarão toda a vida. Quando ele chegar, porque chegará, inundando as cadeiras sobre as terraças dos bares, eu seguirei com frio, então saberei que, no norte, sol não rima com calor.

Depois de trabalhar em loja de roupas, sapatos, eletrodomésticos, capacetes, fui parar em uma fotocopiadora. Pagavam-me para fazer impressões e fotocópias de apostilas, livros, guias e manuais. Função: auxiliar na ejaculação de jatos de tinta para impressão de matéria diversa, da criminologia aos exercícios de solfejo. Trazia uns pedaços para casa, e os copiava à mão para um caderno à parte, onde pudesse aclimatar o juízo à língua que, sendo a mesma, é tão estrangeira, onde pudesse curar-me adquirindo novo idioma. Manuais de agricultura, lentes de contato, tecelagem, maca de hospitais, relógios de pulso, líquido para bochecho fluoretado.
Logo vieram os manuais de restauro. Eu os copiei. Cada vírgula, copiei o branco das margens para o caso de. Inclusive a letra cursiva. Tudo isso era para ser um guia, preso entre mim e o glossário. Tudo isso era para eu aprender como se. Tornou-se nó cego sem laçada. Quis reabilitar os móveis com que me deparei para enganar a seta que neles me apontava meu passado. Os manuais diziam: adaptar na furadeira a broca de escariar; passar o verniz ou seladora ou neutrol para o acabamento; emendar madeiras com pontas irregulares; como disfarçar pregos; planteamento e traçado aplicado à construção de móveis; o uso de suta e escantilhões. Nada aprendi dos textos. As cópias à mão ficaram dispersas, os móveis em casa de boca arreganhada a debochar do meu fracasso. Tudo se me escapou. Sobrou pouco. Mesóclise. Dos outros manuais, tampouco me apossei. Sobra-me algo da sintaxe das ruas, algumas palavras

que, sem as ter copiado à mão, tornaram-se espécie de anexo ou dependência contígua à qual se entra sem chave. Coisa de pouca monta, roubada junto ao balcão de padarias: "uma bica, se faz favor", ou "dá-me cá uma meia de leite em xícara escaldada".

Apresento-me: cresci copista.

As estações, enquanto fingem dar voltas para retornar ao mesmo verão, são a prova de que os verões serão sempre outros; sempre novos e nós a prometer: para o próximo, comprarei uma ventoinha. Enquanto isso, a chuva. Em vez de engordar horizontes, veda-nos o passo debaixo dos guarda-chuvas impermeáveis; mas é sob outra arcada da cidade, no aqueduto das Águas Livres, que eu espero. Aguardo que a chuva vá embora. Sei bem: em seguida o verão irá carcomer meus cabelos. Então aguardo, simplesmente. Aguardo que se aparte, saudade. Eu aguardo meu retorno aos trópicos.

Porque não sei fazer bem as contas, saí de casa esquecendo algo. A pele acusa: falta.
Espreito. Estou aqui. Amotinada entre cartas a moradores antigos, coentros no ralo da pia. De repente sei, mais por herança que por ciência: falta qualquer coisa.

Ter a certeza de ter deixado algo.
Era preciso voltar.

Se fosse uma blusa ou a moeda para o autocarro, era voltar a casa em Lisboa, um rés do chão ou um sexto sem elevador, e apanhá-la.
Mas o que esqueci foi outra coisa.

Ao sair,
devo ter deixado:
marcas de dedo nas paredes do quarto, meias dispersas pelos corredores. Decerto esqueci de ensaboar a gordura do prato, do garfo, também deixei um copo de leite sobre a bancada da pia, esfriando. Lembro-me bem. Ou talvez. Terá sido uma xícara. Devo ter deixado São Paulo.
Pesam-me os ombros. Pesam-me como uma botija de gás, mesmo havendo lá deixado tudo. Saí e era março e não trouxe nem as unhas. A casa inteira ficou: seus vincos, as pregas das toalhas de mesa. Um peso retângulo. Maior do que a tinta que lascou do teto em Lisboa, maior do que o gesso que tombaria se eu tivesse ousado tapar o teto, maior. Grande como São Paulo.
As cascas das batatas sobre os olhos pesam e impedem-me de ver como os dedos de minha mãe articulam meu nome.
Pesam-me os ombros, o crânio, os olhos, hoje.
A pele acusa: sobra.
Sobra algo, sobra tudo.

O mais provável é que, ao sair, eu tenha esquecido de deixá-los para trás: casa, mãe, irmão.

Sobram, mesmo se me foram retiradas partes, muitas: das unhas, do rosto. Sobram-me tijolos, reboco, mesa de centro, vidraças e jornais de domingo. Sobra-me tudo. Saí, saltei. Em que ponto era preciso ter avistado: não se joga uma mãe no rio para esquecer dela. Não havia rios, só o penhasco de onde. Falta saber em qual posição deixei minha mãe, se a televisão estava ligada ou não. Se minha mãe no sofá. Ela lá ficou, entardecendo.

Ela terá esquecido o telefone sem bateria ou fora do gancho ou longe das mãos. Um telefone que não toca. Se alguém quiser usá-lo para me ligar, mas não, o meu também é um telefone que não toca. Alguém haverá de ligar de São Paulo para dar a notícia. Notícias, assim tão tarde, trazem sempre assunto de morte. Espero essa chamada como ela outrora aguardou o regresso do filho. Aguardo-a. Quando a notícia vier, me encontrará longe demais do gancho do telefone ou em uma casa ainda sem gancho nem telefone. Terão de deixar recado com alguém, com algum ex-caseiro, um ex-vizinho, algum ex-patrão, que terá de passar o recado por várias mãos e metê-lo em envelope debaixo da porta para que olhos incrédulos repitam "não pode ser", repitam "é engano", perante frases disparatadas *Foi com enorme consternação que recebi a notícia,* épa, esses carteiros estão sempre a errar de porta, *um elemento da vossa família,* não pode ser, *endereço-vos sincero pesar,* não tem graça, *Venho juntar-me à vossa dor,* seu Manuel, o que é isso?, quem colocou esta desdita debaixo do vão da minha porta?, isso não se faz, isso é engano, quando saí minha mãe estava bem ela estava a postos ela no sofá ela entardecia.
, os *meus mais sentidos pêsames.*

O filho soube lidar com ela: pedia-lhe coisas, o peito inflamado. Ela assente, oferece a mão, o braço, os cotovelos, dá-lhe os frangos com os melhores temperos, dá-lhe mostarda, dá-lhe dinheiro. Meu irmão ainda não trabalha. Mas logo, logo. Logo descobre: se quiser: sair: saltar: fugir. Terá de. O primeiro emprego. Ele vai, ele consegue.

Ao seu lado, calei-me.

Ao falar sobre ele, entortam-me as costas. É insuficiente para: apanhar a parte que me falta. Há qualquer coisa que não está. A palavra peca, torta e salina. Meu irmão me. Terá sido porque. A diferença de idade é pequena. Coisa de alguns anos. Terá sido o destino de mármore. Fosse quente a parafina, moldaria o mundo. Divido-me entre duas lascas de mármore. Éramos demasiado parecidos. Os mesmos olhos escorrendo pelos lados. "Eu e minhas manias", ele me dizia. "Você e suas manias", minha mãe me dizia. Mania de: dramatizar: inventar: vitimizar: achar pelo em ovo. Éramos, eu e ele, demasiados. Tudo em demasia, e contudo falta-me isso: a arquitetura precisa das causas. Seria indispensável voltar atrás e catalogar o passado. Aponto: meu irmão roubou-me um cachorro; roubou-me um pé de salsinha; adiantou-se aos quartos das casas em exposição. Antes, antes. Por cima dos armários, dentro das fechaduras, das dobradiças, entre as meias trocadas. O início do mundo é a imagem de um sol mertiolate que abre, e já é noite.

Ele sempre soube do peso do teto de São Paulo. Sabia que o céu do quarto embargado, e mesmo assim. Meu irmão avançou com dentes de pássaro, fingindo ser ave, mas a pele já se estava enrugando, espessa, quando tombou sobre mim. Ele já era um mamífero perissodátilo, já era um rinoceronte.

Nesse ponto é preciso andar para trás.

XII.

São Paulo. Eu entro.

Nas caixas acumula-se um rumor de roupa velha,
essa roupa
que no inverno   em Lisboa
seca-se
dentro de casa, a consumir
os azulejos
e eu tossindo na sala,
roupa pendurada nas costas das cadeiras e no estendal de dois
braços, alumínio aberto, e eu tendo de me encurralar num canto,
mas aqui a roupa cheira aos armários de madeira maciça e às
naftalinas com que a última empregada povoou as gavetas.
Nas caixas eu encontro recibos, selos, moedas. Os recibos
mostram: ela quem lhe enviava; ela, minha mãe, pagou em
dólares a própria loucura. Ela enviava dinheiro ao filho, todos
os meses, durante todos aqueles anos. Endividou-se.

Tanta era a noite que.

As árvores não puderam mais com tanta maldade: pendurados
nos ramos
bebedouros antigos
— que a mãe mandava encher
bebedouros de plástico
— açúcar água lábio
pequenos candeeiros
        agora apagados
— que durante o dia ela mandou acender

Morreram todos:
beija-flor sanhaço cambacica
as tardes postiças
pendem dos galhos

um ruído
súbito e sem bico:

os todos pássaros
— que ela quis
agora enforcados nos galhos
risco fogo-fátuo
a felicidade cabeça para baixo
desertos quintais luz ao contrário

Eu descobriria a retirada de minha mãe pelo modo como as mãos pousadas no berço do colo. Cansaço. As crateras da pele entre os dedos abertas, acumulam-se pregas nas juntas das falanges. O pulso dobra para baixo. Tudo conforme a idade. Ela me anunciava, naquelas mãos velhas, anos depois de meu irmão ter desertado, ela me anunciava, sem eu ter percebido, que estava prestes a. Mas quando se tem uma mãe, uma mãe daquelas, tão perto que se perde de vista, uma mãe contígua, tendo comparecido em meus poros desde os primórdios, paleolítica, sempre existiu e contudo é extinta, de tão ancestralmente, quando uma mãe assim nos acontece, a idade se equivoca. Não sabemos enumerar sua velhice nem antecipar o fim. Damos à mãe as estimativas mais díspares: trinta e oito, quarenta, quarenta e dois anos no máximo. Não pode ter envelhecido assim, tão depressa. Mas o que verdadeiramente nos impede conhecer a idade de uma mãe é o próprio abismo: também nós não sabemos envelhecer. Seria preciso que eu tivesse ido embora e percorrido milhares de anos no mapa, e que distante me visse, na solidão de alguém que aos quarenta anos face ao espelho e sou isso, apenas as pálpebras a borboletear; no regresso, enfim, eu poderia ter dito: minha mãe envelheceu. Ela morrerá.

Envelheceu depressa demais. Posso compará-la às vizinhas, às irmãs das vizinhas, às primas das irmãs das vizinhas. Sem qualquer vizinhança para onde acudir, pois um muro, pois sou eu uma mulher sem jeito para perguntar idades ou pedir emprestada batedeira de bolo, sou uma mulher que em Lisboa a maçaneta da porta emperrada e em São Paulo converso apenas com os círculos dos copos insones sobre a mesa de centro, então comparo-a comigo. Mãe e filha. O mesmo sinal de aflição na testa, afundando as sobrancelhas em enseada. Os vestígios de meu pai terão se abrigado nos meus cabelos difíceis, e ali vivido, sem qualquer contato com o Atlântico. O resto é dela.

Minha mãe correu, eu a copiei, a debandada foi tanta e tão selvagem que só podia ser medo da morte. Ao descobrir em toda mãe uma forma de loucura, não pude impedir que meus pés a pisassem, a ela, que se havia cansado enquanto corria, que envelhecera rápido e já não podia mais, meus pés a pisotearam e depois de morta ordenaram que eu fugisse, que seguisse fugindo.

Minha mãe morrerá antes de eu aceitar a sua idade. Ao regressar à casa dela, a este sobrado que se estende por dois metros de fachada, cheio de caixas — a mulher de sessenta anos já havia desaparecido.

Mas é como se não tivesse sido longe, é como se fosse hoje. Eu entro e a vejo.

À pia, junto às louças, minha mãe oscila. Gálata de ombros tombados. Recolhe as réstias de vida no prato de porcelana. O avental cola-se ao fio da bancada, ela em seu camarim de granito molha-se da espuma de detergente. Minha mãe, à pia, esfrega o único prato, o único copo, uma travessa brilha metálica no ar e é dia, é dia e ela com vergonha de tão pouca louça, sequer uma visita; a solidão antiga de um rádio a dizer "Bom dia, ouvinte". Ela responde bom dia.
Ela é hoje e veja esse prato
que a água enxágua, folha última
o outono rouba e traga, é ela
uma co
      lu
     na
de saia velha no asilo
de uma casa, as mãos cheias da
loucura
que encharca e se acumula   no ralo, junto à espuma.
O filho casou-se, a empregada debandou, a filha sou eu e me calo.

Dou mais um passo.

Ela se volta e a volta que dá é completa, é valsa e redor: a vida em linha reta se torce e circula e retorna à linha a mesma, redobra ao ponto começo. Círculo fechado, rente aos objetos da pia. Eu saio de vista.

A volta, quando é completa, erra. Voltar-se na íntegra é não abandonar o dia. Eis a bailarina em sua pirueta, ensinaram-lhe a fixar os olhos sempre no ponto de onde partiu e para o qual retornará: por isso o rosto em vertigem varre as centenas dos graus por onde passa. Nada vê. O panorama ganha-se com as pernas, mas não lhe chega aos olhos, fixos e mortos. As bailarinas são colunas aéreas e cegas. O círculo inteiro nada renuncia. Uma mãe, ao concluir a volta, não contempla quem atrás lhe espera. É preciso ir até ao meio: quebra-se o céu em partículas de vento e as farpas em litígio anunciam a noite.

Mas eis que a fratura: ela se volta e o pó dos cabelos e os nós nos joelhos chegam a meio. Emperram. Acontece: meia volta, meio círculo, traçado incompleto. Ela me olha:
— Filha?

Minha mãe morta.
O açúcar que empedrou e já não serve: aos pássaros.

Vejo minha mãe dentro da caixa. Ela está lá: seu vestido de flores, o mesmo que ela nunca mais conseguiu encontrar nas gavetas, nos cabides. Eu o saqueara, na ânsia de ter mais, mais, de proscrever o genitor, e antes de rasgá-lo eu me arrastei nele, arrastando comigo a barra pelo chão encerado da sala; passeei pelos cômodos como se fosse o incenso dos centros espíritas que minha mãe frequentava e de repente nunca mais. Ela os havia abandonado. Os meus vestidos ela guardou. Aqueles vestidos que ela mesma, "Faço questão", ela que costurou, "Faço questão de costurar tua roupa", e o fazia tão mal, culpando minhas medidas e a Singer que à noite abre um choro de ferrugem em zigue-zague; há mais: há os outros que ela encomendou à costureira da rua do beco. Todos eles ela guardou. O dela e os meus. Fingiu não acreditar que eu roubara seu vestido predileto, o vestido dela que rasguei em mil pétalas e escondi. Todos ela guardou.
Fecho minha mãe dentro da caixa. Mas falta-me a tampa exata, fica sempre a sobrar uma fresta, como um sapato grande demais. Acabarei tropeçando.

Cada dia abro minha casa de dentro das caixas com tampas trocadas: lá dentro os carretéis alucinam. Emboscada.

Os carretéis deveriam. Eles deveriam. Quem costura busca a forma. Toda forma é cárcere. Mas é que eu também queria a construção, tinha pressa porque eu podia desabar em mim. Por alguma razão que nunca suspeitei, os carretéis que deveriam ter fundado a forma, que deveriam. Ter me abrigado. Os carretéis se me escaparam.

Ouço-os rolar pelos quartos.

Já faz dez anos e eu nada. Nem um palmo.
A planta dos pés staccato,
        na ponta da boca o palato
aberto.

A planta da casa
que o arquiteto deixou incompleta
ergue-se praia
        torna-se
palanque sem teto.

Vieram embargá-la.

A planta da casa incompleta
rende-se,
casa de praia
    sem planta sem dentes só omoplata.

Há dez anos saí e mais nada. Saí de casa. Sigo nela instalada.

Já faz anos e eu nada. Nem um décimo. Não movo sequer as ancas, as coxas.
    Nem eu nem a casa.
Os pés estacaram. Eu espeto com um galho para ver se o olho mexe. Não mexe. Mexe? Estrábico.
Sou eu a dizer: dai-me prosa,
meu Deus.
Dai-me prosa.
Deus me deu estábulo.
Tenho os pinos pregados aos ossos e não mexem.

A casa,
    a principal: esta
(com garagem, escritura, sem praia)
nesta eu já não: habito: não: há dez anos, mas nesta mesma

eu: faz um século: habito.
Já faz e eu nada. Nem o nariz para fora. Cá dentro, eu e a ressaca.

Esta casa
segue sempre   ergue sempre
sempre verde
(a cortina do quarto)
sendo sempre
(a mesma casa)
intromete-se no meio dos meus livros, meus parágrafos,
      persegue-me

não muda uma linha: entro e ela lá, toda à esquerda, a boca aberta para a rua, número ~~157~~

São Paulo. Estou dentro. Finalmente tomei posse da história por um decreto sancionado ao nascer: serás tu, será você. No retorno à cidade de mulheres sem turbante e que no entanto atam toda a vida aos cabelos, à cidade de vendedores ambulantes de frutas pilhas garrafas d'água, hei de inventariar o passado. Farei, faço-o o mais rápido que posso. A tempo de embarcar de volta à Lisboa. Cabe à filha mais velha catalogar a herança. Mais do que isso: corrigi-la. Quis inocentar os objetos, mas eles se atiram sobre mim com seu cheiro velho, tive de encaixotá-los, não cabem nas caixas, não cabem em mim, eis minha mãe me oferecendo um brinquedo de plástico, ela sempre a fingir, finge que não sabe nada, ela mente, eis os bebedouros falsos aos beija-flores, eis meu irmão, eu o toco

na cama ao lado, no teto do quarto os astros rodam, rodam, e de repente param: mudaram meu irmão de quarto, antes de: mas acontece: o amor que não rimou com nada. Meu irmão me. Depois ele desertaria pelo portão, o som da corrente de ferro balançando rente ao cadeado, nem precisei chegar tão longe, lá ia meu irmão, ao se retirar ele me deixou para sempre nesse vão, com as mãos na boca para seguir calada. Terei de sobreviver de algum modo, pensei. Terei de sobreviver àqueles quartos vazios. Voltemos ao início. Portanto. O começo é agora e vou prosseguir o inventário, aleatoriamente. Cada um para um lado. Sofá, mãe, irmão. A overloque. Eu sei, contudo: da dificuldade em seguir, das palavras que irão se esgarçar. Começo ordenando-as, cada qual na linha que lhe é devida, separadas por vírgulas e pontos e ponto e vírgula. A prosa me haverá de salvar. Mas nesses trópicos, o que há é. Tudo. Deus não vive na banda de cá. Nomeemos de outro modo:
uma Singer ponto e vírgula
uns bilhetes vírgula
um teto. ponto. ponto.
Farei o registro do que aconteceu nesta casa mas respeitando quem não quer falar e quando abeirar-se o nome exato da catástrofe então rebentando o verbo quebrando a sintaxe o metro rompendo tropeçando nas caixas afastando em verso o que a vida testemunhou no tato. É preciso subir àqueles quartos.

Não há mais tempo. Imponho disciplina à coleção de objetos mortos. A mesa de centro. Noto a marca dos copos da minha insônia. A mesma marca que minha mãe acusava de manhã, fazendo um círculo com o dedo indicador, custava colocar uma toalha embaixo, um porta-copos?, e eu lhe devolvia os meio-círculos das minhas olheiras. Pelo menos, essa mesa de Lisboa é quadrada, pensei. Ainda bem. Mas é de centro, é de centro como a de São Paulo onde minha mãe e os jornais com anúncios de casas de praia, é de centro e expõe as vísceras dessa condição. Quando me apercebo de tal calamidade, encosto-a imediatamente num canto. Ela segue uma mesa de centro, contudo: a altura, o tamanho. Viro-a de patas para cima. Melhor assim. É agora uma barata a contorcer-se após o golpe. Rebelde, desaforada. Eu haveria de topar com ela um dia ao voltar para casa: os ângulos retos arqueados, daí em diante uma mesa redonda. Havia outros detalhes, muitos. A distribuição dos móveis, a cor, a textura, e principalmente: o modo como o sol caía através das esquadrias de madeira,

          caía sobre o piso;
  a manhã, ao avançar,
  alçava o sol de seu tropeço e ele
  ia dar justamente no móvel da televisão.
Outras vezes,
  o sol se levantava sozinho,
    erguendo as duas patas dianteiras para arranhar as unhas na borda do sofá. Jamais pensei em pegar o sol no colo;

me faria lembrar um gato. Pior: um filho. O filho que não tive, o filho do filho e da filha, são dois os filhos de minha mãe e nenhum o nosso, o mundo é mesmo injusto, então eu recolhia as canelas para dentro do sofá, deixando os chinelos no piso. Por vezes, se maio ou junho, o sol insistia, autoritário, e acabava por tomar-me todo o sofá.

Não que eu tivesse medo do dia; a noite é que me atormentava. Mas lembro-me bem: de dia a vida também me matava.

Em Lisboa, foram sobretudo as esquadrias que me importaram, a forma simétrica de distribuir as janelas. Assim a noite não me encharca, acantonada detrás dos retângulos. Assim, o dia não me. Mas eles vieram. Não adiantou. Mudei-me de casa uma, duas, três, onze vezes. Dezasseis. Dezanove. Vinte e três. Em todas elas, levei a postos um rosto. Conforme me instalava, chegavam-me correspondências para antigos moradores. Conforme me acostumava a ser os antigos moradores, chegavam-me contas a pagar e era quando lembrava que era a nova moradora. Conforme me acostumava a mover-me sem trombar nas portas dos armários, conforme me desfazia dessa camada que é a adaptação a uma casa nova, ela, a outra, chegava à socapa, cruzando pontes, cortinas, persianas, água salina, para instalar-se aqui, em mim. Não me cabe enumerar todas as insubordinações a que o mobiliário me sujeitou.

(Em todas as vezes, falhei. Mudá-los de ângulo, de quarto, cambiar o estofado ou cobri-los com toalhas. Até que os destruí. Empilhei os restos de madeira, tecido e estruturas em alumínio em frente à calçada.)

Ajusto-me
ao espaço que me cabe

em comum acordo com
o passado, socorro
o seio e o ombro

espécie não nativa: adapto-me
ao cerrado

deixo a bolsa no colo, sei
que a vida é um hábito

Durante o tempo — as noites, as semanas, os anos, ponto de exclamação, ponto de interrogação — em que estou sozinha aqui em São Paulo, lavei-me na pia do lavabo, quando noite; se dia, andava ao quintal para me limpar com a mangueira, como se lavam: cachorros, pisos, papagaios. Flores. É preciso terminar o inventário. É preciso Lisboa. Seria mais fácil se. Subisse, usasse o chuveiro lá de cima. Mas não ouso. Subir eu não ouso. Restrinjo-me ao lavabo. Atiro água para os lados da pia, sobre o tapete e em cima do vaso sanitário; no espelho ficam marcas de pasta de dente. Tampouco o quintal oferece melhor estado. A mangueira por vezes silencia. A seguir, raivosa, rebenta em jorros que lembram gêiseres. Revejo em mim minha mãe, recusando-se a mudar o posto da televisão; mesmo se não visse mais do que espectros embaçados pelos reflexos da janela. Por apego às formas antigas. Bastaria ter trocado o sofá de lugar. Seria mais fácil. Bastaria que. Já o disse noutras ocasiões. Sou muito repetitiva. Minha mãe deveria ter me alertado para isso, e não apenas "Esta gosta de vitimizar-se", como ela dizia. Repito: a televisão não podia ser mudada. A memória, por permeável que seja, submete-se com alguma rebeldia de velho. Ao deslocar a mobília, era a própria versão dos fatos que se adulterava. Naquela casa, a televisão sempre havia estado ali; o filho circulou toda a vida por uma casa onde a televisão no mesmo sítio, antes de.

Minha mãe mentia que o tempo não iria se lembrar dela; ao aproximar-se do sobrado, ele desviaria. Ou mesmo um susto: ele detém-se. Tetraplégico. Como o antigo proprietário da casa, preso a uma cadeira de rodas após o disparo de revólver. Se eu soubesse, antes da hipoteca, eu teria dito à minha mãe, no caso de dispor de voz, "Não compre esta casa porque dela jamais sairemos". O sobrado é uma grande cadeira de rodas. Isso ela não descobriria. Pensou: o tempo não entra aqui. Não nos envelhecerá. Quem sabe por isso tampouco mandou pintar as paredes: aqui o tempo não entra. Sequer a fachada. O verde continuou sendo verde, mas cada vez mais branco.

Voltando ao caso em questão, neste caso, o meu caso, impossibilito-me de prosseguir. Evito o andar de cima e por isso me limpo no lavabo, no quintal com a mangueira, talvez que se chame medo. Não se trata de adulterar a memória, mas revivê-la. Como hei de usar o andar de cima? Não quero molhar paredes que já há muito secaram. Além disso. Subir é caminho demais.

O sol tem a força de um carretel que rola, rola e já é tarde.

Os manuais me ensinam a mineralogia e a química de recu-
perar a fisionomia do
traço
a lupa auxilia
o discurso é preciso percorrer o pé direito sou nos extremos um
nódulo de gesso e um quiasma dentro o corpo teso empedrou
o olho o beiço
                introdução ao uso de materiais químicos
                para intervenção do restauro de móveis e
                outras peças, capítulo primeiro: sobre a
                intervenção em mobília de madeira,
                capítulo quarto: algumas noções para
                recuperar paredes de alvenaria
o traço
da argamassa
conforme afasto com pincel detergente bisturi meus trapos
eu raspo reitero e vejo meu o traço
vejo há mais há mais tanta há trinta e muitos anos há quarenta
anos e há   nada há, e mais nada.
Eu me estatelo no céu, ainda há o mundo no molho de
chaves antiquíssimas
movido a gás
as fechaduras terão sido todas
         trocadasdispersasproscritas
a esta altura, tudo terá sucumbido
o pescoço torcido ao céu de inverno e é dentro de casa que

habito, longe demais
das calçadas de pedra, demasiadamente fora de ângulo para um testemunho correto.

Quando entrar naqueles quartos, tentarei mudar a ordem dos fatos: passarei corretivo às paredes, as forrarei de pôsteres, calendários, vedarei com cores múltiplas o teto; a nova tinta daqueles quartos há de secar, se calhar pregarei a placa "Cuidado: tinta molhada", e se a língua for outra for a mesma for Lisboa, haverá de ser "Atenção: pintado de fresco".

Os carretéis,
ouço-os a errar pelos quartos.

Foi preciso ter voltado.

XIII.

Um dia eu disse a ela. Talvez tenha apenas sugerido: às vezes, entre irmãos. O desejo é esta etiqueta mal cortada que levo na blusa velha: tento escondê-la para dentro, mas é de um papel resistente, é daquilo que nunca acaba, é de carne, e se expande, volta a sair pelo colarinho. Ocorre de um irmão crescer e de repente farejar em volta. Descobrir o outro, que sempre esteve ali, vigiando. Não sei em quem terá sobrado tamanha sede. A quem cabe tanta culpa.

Ela me disse: — Vá, e não volte nunca mais.

a pele ele tinha
de sabonete
descamava dos banhos longos de menino doente
vai lá ver se o teu irmão ainda tá no banho
eu ia
    ia feito Maria
banho-maria
banho quente
meu irmão na neblina da banheira cheira a sabonete

A pele de sabonete virou rinoceronte.

Pese o calor, os meus pijamas de mangas largas e as barras tocam o chão. Enrolo-os para cima. Começo. Cada degrau da escada. Por vezes postergo o combate retendo meu fêmur suspenso no degrau e o cotovelo no corrimão. O prólogo desta casa não é o jardim de entrada, nem há antessala. O andar de cima é de onde tudo desaba.

O corrimão acaba: chego ao andar de cima da casa. Alongo-me no topo da escada e, enfim, dou o primeiro passo. É preciso. Decido-me à esquerda: ando aos nossos quartos. Passo pelo corredor, levantando poeira. O quarto dele está a um palmo.

Tudo aquilo
excede
o espaço de um só coração.
Acima do convés, o sótão tem tosses e peles enfermas, eis o andar onde piso. Para os especialistas é apenas primeiro andar ou piso de cima, nenhum arquiteto ousaria chamá-lo sótão, não o é, mas eu, mundana, chamo-o sótão chamo-o sítio de onde desaba a vida. A disposição dos quartos é abstrata: ao correr esbarro os pés nas quinas, a faxineira tudo limpava e todavia as cinzas, a lama, a grave figura de um rosto descasca

a tinta, ao fundo do mapa há armários e nenhum pátio. Nasci
de bruços. Nesta casa cujos quartos de dormir dão a sul, onde o
sol nunca e mesmo assim um vão na parede o convoca. Minha
mãe devassa cortinas para arejar o ar carregado da peste de
infância. Mãe, eu simplesmente não. Excede-me. É aí que
preciso entrar. Se quiser desposar
o veredito
dar o salto
há dois quartos
de feições siamesas vizinhos almas gêmeas a pressa alheia,
minha mãe partiu ao trabalho, sobram eu e aleatória

      aleatoriamente estou aqui
quase, eu subi os andares com pés de massa cinzenta, calcanhares e pernas geminadas, meu peso de pássaro anencefálico
em São Paulo, ave migratória já não tem aonde ir, sou gengiva,
cimento e nitrato.
sobramos eu e meu irmão. em casa faz o frio daqueles meses
antigos. acocorados sobre um chão ainda sem taco, os nossos
pés escorados, eu lembro como é,

é assim: temos frio. temos os olhos vazios.

Aproximo o meu hálito.

É tarde para muitas coisas.

A antiga sala de televisão que virou quarto que virou esse pedaço oco. O quarto dele. O colchão sobre o piso depois do estrado romper; romper de tanto meu irmão fornicar com as garotas. Ele as trazia, uma, duas, quando minha mãe não estava. A empregada não ousava subir. Instalava-se na cozinha a martelar panelas com colheres de pau para disfarçar a vergonha. Desde a escada ouvia-se os golpes da madeira da cama contra a parede, vindos do quarto dele. Eu as via, as mulheres do meu irmão, sair e entrar.
Não é isso que chama a atenção, contudo. São os armários cerrados. Os armários que ficavam abertos para ventilar. Minha mãe desistiu de esperá-lo, ela decidiu: ele não voltará. Ela, enfim, fechou os armários.

É neste quarto que entro.

Ela saberá.

Como não saber?

Ela sabe de tudo: da disputa entre locutores de rádio aos tipos de verduras de cada estação.
      Absolutamente. Ela devia
     fingir que. Não sabe. Sabe.
      Não sabe.
     Eu sei. Eu fico
     sabendo. O horror sem nome que
acomete todas as famílias, e que todas fingem não ver, e que cabe somente às infâncias tortas afirmarem: está aqui.

Amor é palavra que fere o lábio.

Da próxima vez que o sol e esses chinelos à beira da cama
saberei da sanga que ancora meu corpo nas fronhas
e lhe ateia o pouco
   da vida que medonha se embrenha comigo se adorna
de branco.
Subterrânea. As costas amplas
e sem antídoto. Da próxima vez que o copo d'água à espera
de um suicídio
vier subsistir aos livros dispersos
saberei por instinto.
Talvez consiga: levantar-me; declarar estado de sítio.
O mais verossímil, porém, é deixá-la [quem?] do jeito que está
e me deitar de comprido.

Amanhã irei à feira, e quando lá chegar. Eu explico: não quero enlouquecer. Preciso entrar no mundo.
Deixarei meu currículo. Folha A4, espaçamento entrelinhas 1,5, parágrafo justificado. Profissional do ramo doméstico em busca de recolocação. Capacidade inesgotável para aspiradores de pó. Rugas de expressão. Idade: quarenta anos. Sem qualquer sintoma da crise dos quarenta pelo que se pode supor sem crise dos quarenta e cinco. Morrerá antes disso, contudo. Excelente domínio da língua portuguesa estilo bipolar entre lírico e selvagem entre poesia enxuta e prosa com má reputação entre

artérias e desleixo entre pontuação e delírio entre concisão e perífrase entre metáfora e blá-blá-blá, mas em todo caso o problema não é de nascença. Portanto sempre pode curar-se. Quando nasceu era um bebê lindo. Não há fotos mas a enfermeira disse. Não se conhece a enfermeira mas deve ter sido assim. Pai desconhecido ou foragido. Ou seja. Pai inteligente sumiu a tempo. Irmão sumiu a tempo. Só ela perdeu tempo lendo o teto do quarto.

Eu explico.

Mas não me deixam entrar.

O irmão estendia o braço para masturbar-se
A mãe estenderia o braço ao controle remoto
Menina sem braço estenderá o olfato

Nos quintais os bebedouros são bocas
                          mortas

seus beijos de plástico não estalam
água açúcar cristal um bico ficou preso
no orifício

                     Será um macaco, um pardal?

fiquei eu presa
e depois veio isso: musgos; galhos

os galhos balançam

nos galhos, os bebedouros são flores

odaliscas, uma a uma
desabotoam a roupa para dar
o peito:
e está seco
ama-seca com fissuras
às bocas mudas dos bebedouros um dedo ficou preso
artifício
a flora dos quintais não tem cheiro:
perucas de hibiscos, anis, quadril
a flora vaginal é densa um medo ficou teso e confusamente

mente que é consentimento
à boca abertamente

o bico a viola
será um pássaro que lhe voa por dentro?

e depois vem isso: se é dela o lábio, o riso, clitóris
então também: o vício

ninguém prestará contas
; dirão: orifício, fictício, história de livros

Eu vivo na metáfora pois senão palavra bruta.

Eis aqui, do outro lado, meu quarto. Então volto e adentro. Na bagunça da cama desfeita, lençóis desconcertam livros. Ao pé da cama, meus chinelos. O Evangelho de Allan Kardec está sobre a mesa. Não fui eu quem o deixou. Sobre a escrivaninha também pesa o cubo mágico, solitário e sem resposta. Os armários embutidos cobrem os três metros da parede. Há algo de novo neles. Eu, que ao sair os fechei, a eles e as minhas malas, a janela, fechei meus ancestrais e embarquei para Lisboa, encontro-os assim: abertos. Acerco-me. Dentro há nacos de infância: meias, pijamas, tudo guardado. Está minha juventude nas saias e fitas cheirando a lavanda. Minha mãe as terá lavado, passado a ferro, dobrado. Talvez viesse aqui todos os dias. Ela terá deixado abertos os armários para ventilar as roupas. Ela fracassou na construção de sua casa de praia, equivocou-se no futuro dos filhos, errou a versão dos fatos e os caluniou. Ela, no entanto, sabia. Abertos, os armários esticam-se como se à beira de uma estrada, os braços ao largo para pedir carona, para pedir a alguém que há muito fugiu, pedir que volte. Minha mãe acertou desta vez: eu voltei.

Sobre o desconhecido modo como nos esquecemos do ventre de certas dores: são os interiores de desastres privados que escapam aos habitantes durante dez, vinte, trinta anos, habitantes incapazes de refazer o arranjo da mobília e levantar à memória as paredes de uma casa tombada, de um crime. Até que um dia.

Neste dia alguém liga dos Estados Unidos:
— Precisamos conversar.
Não é chamada a cobrar. A voz madura do ferro. Estendo meu braço e com o tato inepto decoro a forma dos chifres, da cauda, a extensão de mamífero terrestre. Do outro lado da linha, ele é sincero na sua postura de macho, é com ferro que se constroem engenharias, vigas, dobradiças. Também as rochas do Colorado são ferro. Um escudo e as pregas sobre o abdômen: ele é cinza. Ele é meu irmão. Conversar? Se minha voz tão opaca. Mas ele. Ele é um descampado e sou eu a correr, um descampado que eu já não vejo nem não posso completar, trombo contra o muro, há um prédio de tronco cinzento, a nossa distância é vertical e eu não saberei o que fazer dela, ela me atravessa e estou aqui, a traqueia cheia de sal e nicotina, da maré que me afogou, estou debaixo de um teto sob o Trópico de Capricórnio. Sobre o que conversar?
— Sobre essa casa — ele diz. — Sobre o que faremos com ela.

Na disputa pela herança, ele ligará todos os dias. Vejo-o entrar na sala no dia em que a contenda acabou. Traja-se à maneira de um alto executivo, meu irmão. Mas ele não consegue esconder o que sempre ali esteve, a pele ultraje couraça de um animal das savanas. Todo ele contorce-se dentro da roupa. Não, não. Mais um equívoco. Estou preenchida de equívocos. Ele não vem. Nem para enterrar a mãe. Problemas com a imigração americana, ele dirá. O corpo que toco pensando ser outra pessoa nada mais é que restos de roupa. Vivo deserta. Quem virá será apenas o procurador com o terno escuro de homem que mede os milímetros de seus honorários. Eu venho também. Venho e é com estas mãos, mãos que nunca aprenderam a lidar com a vida senão como a um crime, que cavouco o passado. Terá sido por amor à morte, terá sido isso, terá sido por horror aos vivos.

Meu irmão me. Desde então minha dificuldade em terminar as frases. Ele terá precipitado seu erro primário sobre minha fala. A fala truncada agora é a minha. Esforço-me. Constructo de orações coordenadas, as tábuas de um andaime sem operário. Fomento a saúde, arranco todas as gramas da terra com os dedos; esfolo-me. De cólera, ganho distância, impulso, projeto-me em salto no escuro. Mas enquanto me aproximo, enquanto. Vou tocá-la. A prosa. Esforço-me. A frase despenca. Sobram os trópicos,

      incólumes.

Você exagera, minha mãe diz.
Você está inventando, minha mãe diz.
Você vem sempre com alguma história, ela diz.

Terá sido isso, então.
    a espessura com que
~~o amor,~~ esse gesto absoluto e endoidecido
fiquei com suas valas
a fala truncada, a

as mãos em forma de cúpula oram
[Esforço-me: prosa. Dai-me a prosa, Senhor.]

        A sutura —

agarro-me às costas ~~tuas~~,
escalo

        súbita

o dia sussurra debaixo da porta,
de um teto
~~de um útero infecto~~

Terá sido à luz opaca do abajur
abri ~~o quarto~~ à largura de agosto
    A demora com que
a terra e caí

          Uma emboscada à espera
troça das regras
fiquei ~~com o sêmen~~ até nas canelas
a frase interdita, a —

a boca em forma de ~~cópula~~

Onde a prosa? As nossas

         ...

agarro-me às costas nuas
súbita
      alcanço teu cheiro, teus poros
sou ~~óvulo, ventre~~, teto

No útero,
      infernos

Terá sido

uma batalha imprópria

                    atento à linha reta da prosa

sou de pedra sou em flora
poeta e a trova

remendo
        a linha: acúmulo e dobra

O início contorna a órbita dos passos
afoga-se

obstáculo

O procurador comenta: "Já encontrei alguém". Ao que parece, o procurador conhece. Plantas, aves, fiação. Corretores. Diz conhecer meu irmão-rinoceronte, "homem que sabe o que quer", diz, mas desconhece a sua natureza bruta de fera. "Há um comprador interessado", o procurador diz, e o envia ao endereço. Eu lhe apresento a casa. Ele reclama do chão de taco velho todo riscado: marcas de salto alto. Móveis que as empregadas arrastavam. Reclama das caixas, que então nem eram lá tantas. Eu o convido para ver o piso de cima, o taco ali é mais novo. Antes: carpete. Mas quando: meu irmão. Quando meu irmão viajou, ela minha mãe mandou: retirar o carpete, eu digo, colocar novo piso, eu completo. De taco. Digo que ele pode subir sozinho. Ele sobe. Eu fico no início da escada, junto ao corrimão. Ele desce e diz que a casa pode render um bom negócio. O terreno é grande, renderia um bom negócio. Despede-se, dizendo que: iria pensar. Mas só quando o inventário terminasse. Nunca se sabe.

O dia se afasta debaixo da porta,
        de um teto
                no útero
      um feto

XIV.

Ruta graveolens L., Allium sativum L., Rosmarinus officinalis L., Angelica archangelica L., Aloe vera, Arnica montana L., Peumus boldus Molina, Luffa operculata Cogn., Cinnamomum camphora L., Baccharis genistelloides, Maytenus ilicifolia.

mão arranca a muda
planta ferve e a espuma romã toca
de leve na boca
serve para muitas coisas
de manhã
a cor que desce
pela vulva   pelve
           é de papoula
a pele toda
cede abrupta cor
da peste   contratura
que expulsa e a febre
verde folha arruda
espanta mau olhado
doula alho e trabalho de parto

tu dizes sim
eu digo   não
não faz mal tem alecrim
aloe vera hera angélica e agora
a cólica é carmim
depois junta as mãos e reza

arnica alivia dor
— cafeína nicotina artemísia —
beija-flor
que não vestia camisa
    [de Vênus
plantou no centro o bico
por dentro
    vapor: erva daninha
chá de boldo buchinha do norte
morte norte adentro

alguém chama: ninguém veja

cânfora
          carqueja

espinheira-santa
sangra o ventre e assim seja

Nasci com mau jeito para as coisas; as patelas desalinhadas.
Por tudo isso eu peço e desisto. Os poemas doem; ficar em
pé cansa. Deixai-me ficar a meio caminho, Deus, deixai-me
não voltar. Como quem diz: fui comprar umas cebolas e
não regressei. Porque corremos o risco. Desaparecer é perto
demais. Se sou periferia, ao menos dai-me o direito à ruína e
à palavra desastre.

A casa está tarde.

Lá ficarão sábados,
livros
anotados nas margens, um quisto
de ovário
todos os talheres estalam nos ares. Cortinas
se atrasando pelo chão
árido
junto a meias sem par. A nossa
vida antiga que os trópicos
rodearam.

À espera de visita.

Menina dorme. Eu sei da véspera de seus sonhos.

Se soubéssemos a tempo nomear essa dor que se chama Atlântico e a trancássemos nos cadernos, ou a expuséssemos tal escultura em museu. Ensaiamos: cientificamente. A viga haverá de suportar o peso, como as sobrancelhas seguram um rosto. A estrutura de uma ponte construída, e que cairá, é o duto por onde chegamos ao futuro. Mas a incompetência diante do presente mais diminuto: este. Falta-nos isso tudo; conosco as vestes arrastam-se no chão e em breve estarão curtas. A competência para a vida é sempre retrospectiva e transitória. Falta-nos talento, a todos. A mim: metade de um braço. Finquei-o à terra, à espera de que me curasse; não os dedos de pianista, mas o pensamento: o abstrato; ali o deixei, o braço. Há séculos estou acocorada diante da metade que me falta.
Se soubéssemos o tamanho do verão, o sul não cabe em nenhuma canção em nenhum poema, é uma tormenta e não passará, haverá de nos comer vivos, junto à valeta, mamíferos de dentes aparados pelo vício. Se pudesse,
— fracasso.
Todos os sonhos
são sonhos
com a casa onde nasci.

Entro:
um teclado me arruína junto à parede.

Não adiantava dizer, apontar o mundo e dizer: olha o mundo. Menina nasceu para dentro. Raiz incêndio e a textura da madeira fincou-lhe no peito.

Não sou capaz de querer salvá-la.

Recolho uma xícara de há muitos dias, de há tantos anos, de há alguém que a esqueceu sobre a mesa, e quem? Arrefeceu. Seguro-a, assopro. É leite. Azedou. Azedou, mas eu me aproximo desse cheiro de coisas antigas, uma mobília de outra época. O leite é a graça mais séria que existe. Nunca morre porque de velho faz-se outro. Em menina bebia leite e ocorria-me lambuzar-me da espuma.

Eu sonho o último sonho: o último sonho se sonha acordado: novamente as paredes de casa.
Anoto
      : aqueles quartos

Vou arrombar as portas,
o equívoco
   que não foi de cálculo
   não foi mecânico
   que não foi pecado
   não foi
Chegarei a tempo de minha mãe
   Eu trarei na bolsa pastéis de nata e a estatueta de um santo
prometo me casar, mamãe, prometo superar tudo
ela a desfazer o nó do avental
eu direi : amo : te : amo-te : eu serei

a tempo de
        voltei de Lisboa
meu irmão desce as escadas com uma mochila às costas
                voltei de Lisboa
a ele : amo-te.
aos dois, eu peço,
a lua hoje é de louça
        quando ela se estilhaçar
contra meu peito eu
chego
no jardim de inverno desta casa, uma escultura em gesso
    chego a tempo de
eu meço: a dose de amor
    escoa e o sol de Lisboa no outro hemisfério
abotoa o terno para abrigar-se
chego
    sem ciência, a tempo de
reparar a arquitetura da entrada
— sou a arcada desta casa

de abraçá-los, os dois,
e pedir calma.

Acudo-me às grades da pequena varanda com meus cotos de pássaro, braços que se cansaram de morrer, e ninguém poderá expropriá-los desta visita que nada tem de excursão. Preciso de ar. Em breve o céu aberto da noite, eu o reconheço, por enquanto é um céu paulistano de há quarenta anos: aquele céu rosado das coisas que terminam. Quando nasci não havia prédios, só balões de São João. Queimavam como luas contaminadas. Olho para baixo : não para cair : não : olho para me lembrar : lá estamos nós, eu e meu irmão. Levamos as mochilas atadas a carrinhos com rodinhas que parecem de feira, no caminho para a escola. Cada mochila em seu carrinho de alumínio vai tossindo nos paralelepípedos.

Enquanto descíamos de mãos dadas a rua, eu e meu irmão colidíamos com a vida aos poucos se abrindo, cada borrão de cores a convocava, a vida, e, já ela toda aberta, alcançávamos a escola. Quando foi que pensei tê-la anoitecido? Como foi que supus que à noite ela se matava, se apenas dorme, cansada dos esforços do dia?
Às vezes ninguém avisa, mas a dor ancora do lado de cá.
Em menina, eu queria contorno nos olhos, queria enxergar o mundo. Tão cheio de coisas, eu sem conseguir agarrá-las, sapato armário folha galho Cruzeiro do Sul. O mundo é coisa grande demais, de não caber nos olhos nem em mão sem

polegar que funcione. Eu não daria conta. Tão perto a noite, doía-me contar as horas todas que me separavam da primeira manhã. Cobiçava a cidade de longe, tapete reluzido vermelho, cada pontinho uma sentença.

Lembro-me de como era: eu e meu irmão e a vida aberta. Não estou pronta para esta notícia.

A casa, rara araucária sem ruga que me permita: fincar-me.
Volto a cair. Cairei sempre. Do chão, aproprio-me da alvenaria,
cada argamassa tinta grassa brita lona plástica. Na sala há
uma árvore acantonada pelas tantas caixas. Porque foi Natal
algum dia e nunca mais houve festa. A árvore é de plástico e
os enfeites pesam nos galhos como aqueles bebedouros aos
pássaros que antigamente minha mãe.

Todo avanço é para sempre um recuo. Qualquer um que tente
restituir o passado sem prudência acaba por enterrar-se. É
preciso, é urgente deixar por fim esta casa, atrás da mobília
nada haverá que sirva ou responda, evacuar os quartos pelas
escadas, pelas fissuras de um teto ilegível, no rodapé da boca a
saliva, e tudo ficará como está. As perguntas morrerão sedentas
junto às paredes.

Menina de bigode de leite foge e se perde. Corre e se inventa.

É premente, é inadiável sair desta casa. Abandonar as listas, a contagem dos objetos. Fixar a placa "Vende-se" e sair antes que ela desabe me trague me seja. Se eu pudesse mudá-la, a casa, à maneira de uma caçamba que a tudo leva, bastaria depois batizá-la de novo. Bastaria.

Uma casa destruída como meu rosto.

Alguém há de arrematá-la a baixo preço. Não se dará conta de. Pensará: um bom investimento. Mas as marcas estão no taco, nos rodapés, em todas as partes. É um problema grave. Crime não se lava com água corrente. Crime da mãe contra seus filhos, do filho contra a filha, da filha contra os beija-flores.

Mas há ainda outro problema
: ao comprar o imóvel, o investidor também me arrematará. Com uma assinatura e carimbos iremos eu e esta casa. Esta casa de onde é preciso. Sair. Deixo a varanda, volto-me para os interiores da construção. A noite virá primeiro em meus olhos. As pestanas se fecham e me asilam. Lá fora é aqui dentro meu rosto. Esses cílios imóveis têm pés que calçam coturnos, couro pesado e fundo para onde recolho as dobras da pele. Volto-me à casa: eu leio suas paredes, os pregos solitários onde antes os quadros.
Lembro-me bem: a mãe, um irmão. O problema: ninguém sabia o que fazer com tanto, com tudo.

Tampas sem par. As caixas formam um corpo cansado. Comovo-me. Eu me ajoelho junto dele, desse corpo de caixas. Trago uma compressa de água quente entre as mãos, trago cascas de batata. Eu o ajudo a levantar-se, aos poucos dou-lhe fôlego, escoro meu lado em seu lado, encorajo seu braço a traspassar-me pelo ombro. Ele cai e seu peso me derruba. Então assumo: está morto. Já posso ir embora.

Recordo rostos antigos, de primos vizinhos amigos, penso que não seja má ideia, penso que é hora sem mais tardar em cima da sovela no mesmo instante de uma assentada imediatamente: avisar a todos que a casa à venda. Meter logo uma placa em frente. Meu irmão está certo.

Ao testemunhar a casa neste estado, encaixotados os garfos, os copos — não haverá quem os queira comprar, terei de botá-los na rua com uma placa: "De graça". Ao ter feito da casa isso, é-me impossível inaceitável insuportável não querer ajudá-la. Decido: para que a Singer de minha mãe não sufoque no papelão, eu a liberto da caixa. Pelo menos que emperre ao ar livre.

É preciso, é urgente.

Agora a Singer pelo menos venta os pulmões. Eu a levanto, levo-a comigo à tomada, eu a ligo, fio branco termoplástico. Minha mão a consola. Eu me despeço dela. Ouço seus brônquios. Pelo menos que os carretéis também a acompanhem, e os colchetes, pelo menos que os vieses para acabamentos, pelo menos. Como deixá-los ali, a sufocar? Eu os procuro, ando entre as caixas a procurá-los. As caixas e os nacos da biografia da casa.

Antes de abandonar esta casa, quando então estarei livre de incumbências, antes de chamar a caçamba e jogar dentro caixas quadrados retângulos, as sobras de toda uma vida em frente à calçada, antes. Aqui estão: são os botões de madeira que minha mãe.

Abro mais caixas. Como minha mãe fez aos armários. Para ventilar um pouco. Eu as abro e devolvo vida a fitas, agulhas, linhas. Para quando alguém voltar a habitar esta casa.

É mais honesto. Que não se esconda nossa história como o primeiro dono desta casa fez com a sua desgraça. Que o comprador saiba tudo: quem aqui morou, por que fugiu.

Assim será mais fácil para mim. Prometo não causar mais problemas, não emperrar o negócio, prometo uma placa "Vende-se".

Vende-se com tudo dentro.

Chega a última tarde: um estilete e a sangria, o céu tomba como tombam prédios. Decido-me. Mesmo se esse céu vermelho que apalpo agora, as veias pelos ares. Deixo as caixas de onde linhas e vestidos. Levanto-me. Na sala, luminárias e outras vidas encaixotadas me impedem a passagem. Estarão furiosas. Eu vou, eu pego o telefone e disco o número.
— Sou eu.
— Eu quem?

Mesmo que o céu rosado de há pouco seja o fim do verão, a noite já é funda lá em Lisboa, com calçadas lustradas de garoa e inverno
    O procurador ---
Eu, que em vida voltei para inventariar aqueles quartos. Irreparável: voltar é ir para o outro lado.
    O procurador pergunta de novo: — Eu quem?
    Ele e sua pergunta-relógio querem me fundar no tempo
    Antes de desligar - - - - - -
O fim de tarde cruza os vidros a custo, a cada centímetro o escuro lhe amputa mais dedos. As janelas, elas não aguentarão a noite.
    Antes de desligar - - - - - -
Aqueles dois quartos são todos os quartos desta casa, eu sou esses quartos. Eu sigo sendo isso: um muro: uma casa: uma mãe: meu irmão.
    Antes do procurador desligar eu - - - - - -
Cinco e vinte. É São Paulo. São os pássaros em revoada. Cada um para um lado. Menina pergunta como não se trombam uns nos outros.
Sete da tarde. É aqui, é São Paulo.
    Antes do procurador desligar eu lhe digo - - - - - -
    , a noite se adianta e engole a cor castanha de meus cabelos; a noite está aqui e me atravessará de novo.

Mas não, não há problema. Eu espero. Demorei mais de quatro décadas a romper a placenta. Eu espero que a noite me atravesse como ela atravessa o dia.
— Sou eu, Ana.
Lembro-me, ainda menina, da pressa. Pra que a pressa, menina? Presso porque o céu foi rasgado. Porque as flores também dormem, e à noite eu sou só no mundo. O mundo inteiro dorme. Pra que a pressa, menina? Presso porque nem nuvem para no lugar. Porque a terra envelhece, eu quero pisar descalça. Vai que solidão é sapato da alma?
— Ana. Ana — eu digo.
Como quem repete algo em que não acredita
como quem
uma palavra nova em um idioma novo
al hurub   flucht   evadarea
Como quem: para memorizar.
Explico: Ana da rua xxxxxxxxxx 157, da mãe que enlouqueceu antes da hora, do irmão fugido para os Estados Unidos, do inventário que agora se encerra e da placa de "Vende-se".
Retiro desse acontecimento que é ter um nome, os pés para lembrar-me como é: andar imitando a forma do chão. Eu andei ao lado de meu irmão, antes de um muro a pino, antes do equívoco houve tudo, houve isso. Então comecei a correr. Minha mãe, talvez por amá-lo desesperadamente, sem saber que me interditava. Eu menina, eu corro. Mas um dia a vida assente.

Menina costura-se com linha de algodão às paredes: é o que sobrou da família.

A casa vai ficar aqui, aqui ficarão os quartos, eu ficarei nessas linhas que suturaram tão duramente os pontos de modo a já não ser mais possível, jamais será possível desatá-los.
— Sou eu quem vai comprar esta casa.

Descubra a sua próxima
leitura em nossa loja online

dublinense.COM.BR

Composto em BELY e impresso na
BMF GRÁFICA, em IVORY SLIM 65g/m²,
em OUTUBRO de 2021.